만나서 반갑습니다!
좋은 일이 생길 거예요!

가슴이 설레는 만남이 아니어도 좋습니다.
가슴이 떨리는 운명적인
만남이 아니어도 좋습니다.
만남 자체가 소중하니까요!

최보규 방탄JOB 창시자

평균 희망 은퇴 73세, 현실 은퇴 나이 49세!
100세 시대 언제까지 몸(노동)으로만
일해서 돈을 벌 것인가?

세상, 현실 기준에서 스펙, 돈, 인맥, 자산 등이 없어서 100세까지 노동을 해야 되고 몸까지 아프면 더 답이 없는 상황! 젊을 때는 100가지 중 99가지를 할 수 있지만 나이 들면 100가지 중 99가지를 할 수 없다. 3고 시대, AI 시대, 챗 GPT 시대에 자신의 직업이 사라 질 수 있는 상황에서 어떻게 준비, 대비할 것인가?

 방탄JOB기술력
선택이 아닌 필수!

ONLY ONE

방탄JOB
기술력

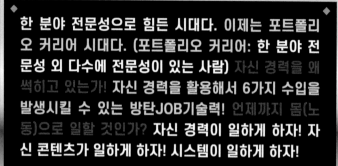

한 분야 전문성으로 힘든 시대다. 이제는 포트폴리오 커리어 시대다. (포트폴리오 커리어: 한 분야 전문성 외 다수에 전문성이 있는 사람) 자신 경력을 왜 썩히고 있는가! 자신 경력을 활용해서 6가지 수입을 발생시킬 수 있는 방탄JOB기술력! 언제까지 몸(노동)으로 일할 것인가? 자신 경력이 일하게 하자! 자신 콘텐츠가 일하게 하자! 시스템이 일하게 하자!

★ ★ ★ ★ ★
직장은 자신 인생을 책임져 주지 않지만
방탄JOB기술력은 자신 인생을 책임져 준다.
직장은 자신을 배신하지만
방탄JOB기술력은 자신을 배신하지 않는다.

ONLY ONE

방탄JOB
기술력

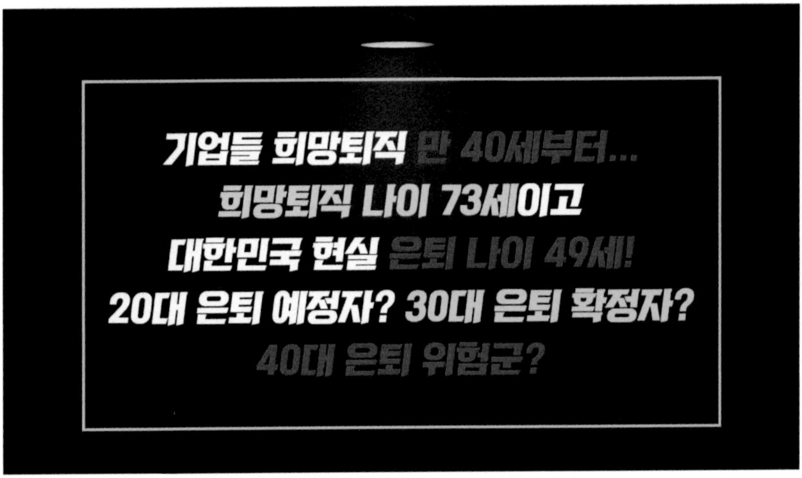

기업들 희망퇴직 만 40세부터...
희망퇴직 나이 73세이고
대한민국 현실 은퇴 나이 49세!
20대 은퇴 예정자? 30대 은퇴 확정자?
40대 은퇴 위험군?

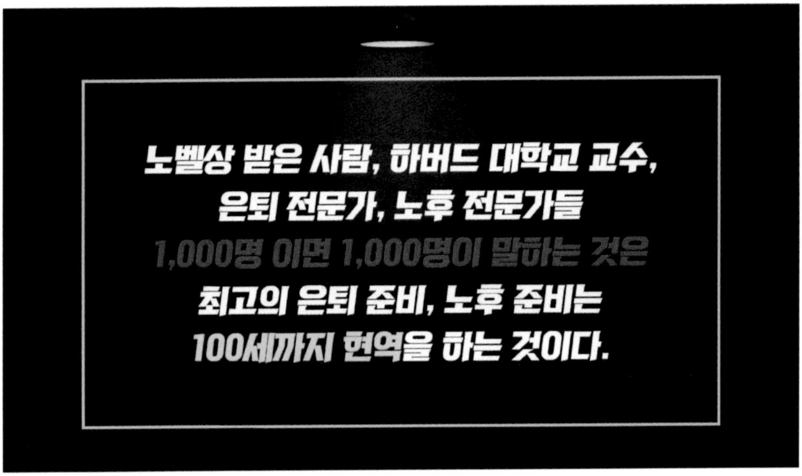

노벨상 받은 사람, 하버드 대학교 교수,
은퇴 전문가, 노후 전문가들
1,000명 이면 1,000명이 말하는 것은
최고의 은퇴 준비, 노후 준비는
100세까지 현역을 하는 것이다.

젊을 때는 100가지 중 99가지를 할 수 있지만
나이 들면 100가지 중 99가지를 할 수 없다.
3고 시대, AI 시대, 챗 GPT 시대에
자신의 직업이 사라 질 수 있는 상황에서
어떻게 준비, 대비할 것인가?

왜 가지고 있는 경력을 썩히고 있는가?
쌓은 경력은 사직, 퇴직, 은퇴... 하면
인정해 주지 않는 현실 속에서
쌓은 경력으로
100세 까지 지속할 수 있는 JOB이 있다면?
나이 제한 없이 할 수 있는 JOB이 있다면?

당신의 생각을

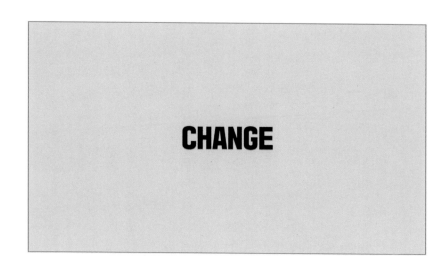

가지고 있는 경력으로 돈을 벌 수 있다?
가지고 있는 스펙으로 돈을 벌 수 있다?
가지고 있는 전문 분야로 돈을 벌 수 있다?
가지고 있는 경력, 스펙, 전문 분야를 왜 썩히는가?

20,000명 심리 상담, 코칭으로 알게 된 사람들이 바라는 시스템!

1. 커피숍에서 지인과 대화 중에도 돈이 입금되는 시스템?
2. 자고 있는데 돈을 버는 시스템?
3. 여행 중에도 돈이 입금되는 시스템?
4. 사무실, 직원이 필요 없는 시스템?
5. 건물주처럼 월세가 입금되는 시스템?
6. 집에서 댕댕이와 휴식하고 있는데 돈이 입금되는 시스템?

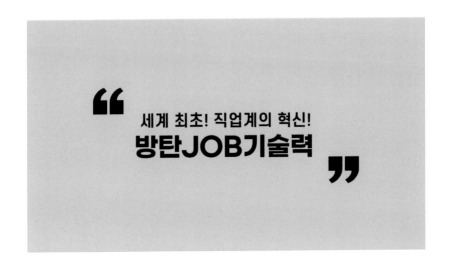

집중

방탄JOB기술력

방탄JOB기술력

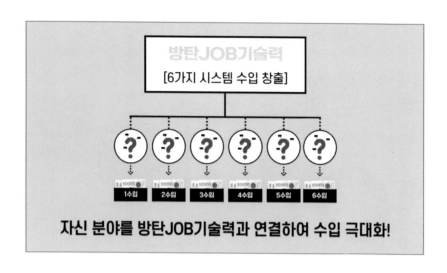

자신 분야와 방탄JOB기술력 연결

수입 UP

비수기 해결 **비수기 해결** **비수기 해결**

비수기 해결 **비수기 해결** **비수기 해결**

비수기 해결 **비수기 해결** **비수기 해결**

자신 분야와 방탄JOB기술력 연결

비수기 해결

삼성 UP	**삼성 UP**	**삼성 UP**
(진정성, 전문성, 신뢰성)	(진정성, 전문성, 신뢰성)	(진정성, 전문성, 신뢰성)
삼성 UP	**삼성 UP**	**삼성 UP**
(진정성, 전문성, 신뢰성)	(진정성, 전문성, 신뢰성)	(진정성, 전문성, 신뢰성)
삼성 UP	**삼성 UP**	**삼성 UP**
(진정성, 전문성, 신뢰성)	(진정성, 전문성, 신뢰성)	(진정성, 전문성, 신뢰성)

자신 분야와 방탄JOB기술력 연결

삼성 UP

스펙, 인맥 NO	스펙, 인맥 NO	스펙, 인맥 NO
스펙, 인맥 NO	스펙, 인맥 NO	스펙, 인맥 NO
스펙, 인맥 NO	스펙, 인맥 NO	스펙, 인맥 NO

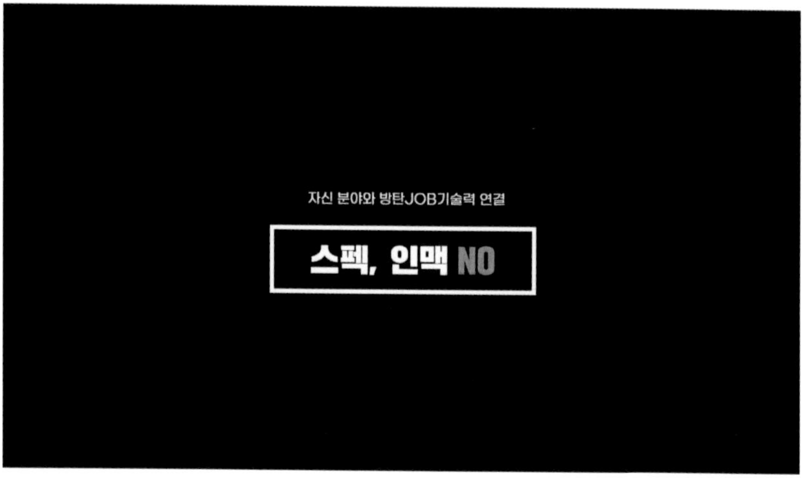

자신 분야와 방탄JOB기술력 연결

스펙, 인맥 NO

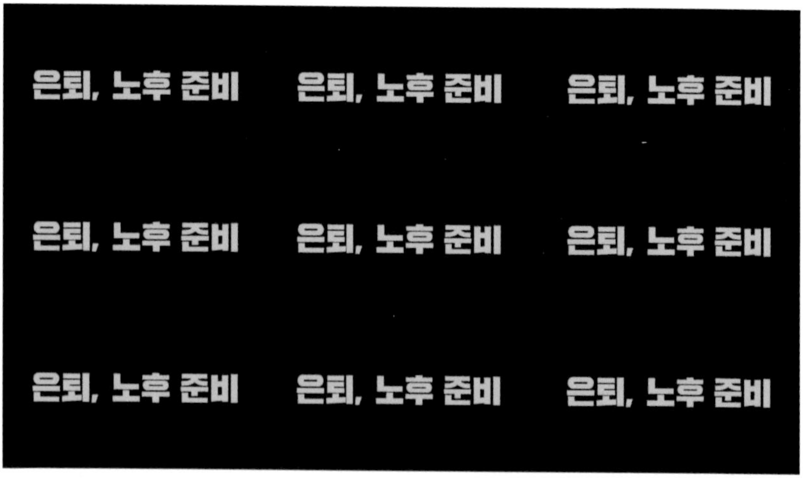

은퇴, 노후 준비　은퇴, 노후 준비　은퇴, 노후 준비

은퇴, 노후 준비　은퇴, 노후 준비　은퇴, 노후 준비

은퇴, 노후 준비　은퇴, 노후 준비　은퇴, 노후 준비

자신 분야와 방탄JOB기술력 연결

은퇴, 노후 준비

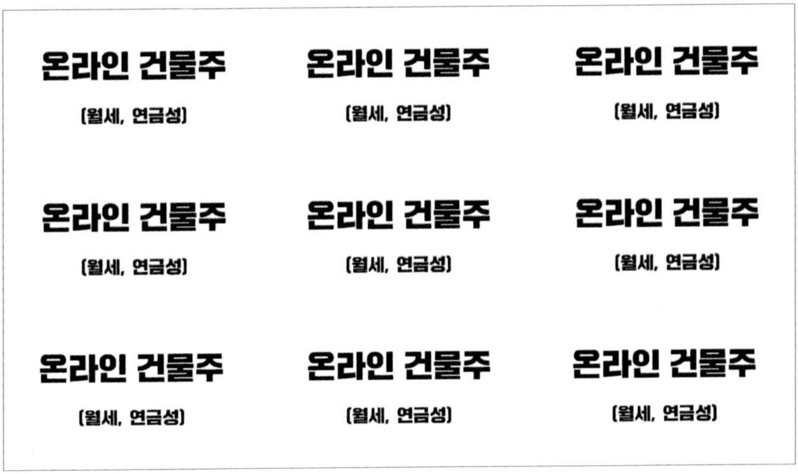

온라인 건물주

[월세, 연금성]

온라인 건물주

[월세, 연금성]

온라인 건물주

[월세, 연금성]

온라인 건물주

[월세, 연금성]

온라인 건물주

[월세, 연금성]

온라인 건물주

[월세, 연금성]

온라인 건물주

[월세, 연금성]

온라인 건물주

[월세, 연금성]

온라인 건물주

[월세, 연금성]

자신 분야와 방탄JOB기술력 연결

온라인 건물주

멘토와 함께	멘토와 함께	멘토와 함께
(150년, A/S, 피드백, 관리)	(150년, A/S, 피드백, 관리)	(150년, A/S, 피드백, 관리)
멘토와 함께	멘토와 함께	멘토와 함께
(150년, A/S, 피드백, 관리)	(150년, A/S, 피드백, 관리)	(150년, A/S, 피드백, 관리)
멘토와 함께	멘토와 함께	멘토와 함께
(150년, A/S, 피드백, 관리)	(150년, A/S, 피드백, 관리)	(150년, A/S, 피드백, 관리)

자신 분야와 방탄JOB기술력 연결

멘토와 함께

3고시대 어떻게 극복할 것인가

평균 희망 은퇴 73세, 현실 은퇴 나이 49세!
100세 시대 언제까지 몸(노동)으로만
일해서 돈을 벌 것인가?

세상, 현실 기준에서 스펙, 돈, 인맥, 자산 등이 없어서 100세까지 노동을 해야 되고 몸까지 아프면 더 답이 없는 상황! 젊을 때는 100가지 중 99가지를 할 수 있지만 나이 들면 100가지 중 99가지를 할 수 없다. 3고 시대, AI 시대, 챗GPT 시대에 자신의 직업이 사라질 수 있는 상황에서 어떻게 준비, 대비할 것인가?

ONLY ONE

방탄JOB기술력
코칭은
▶ 최보규 코칭전문가 ◀

최보규 대표

상담, 코칭, 강의, 컨설팅 문의
010-6578-8295

현] 방탄자기계발사관학교 대표
현] 강사야 대표강사
현] 자기계발아마존 CEO
현] 방탄book 출판사 대표
현] 방탄강사사관학교 코칭전문가
현] 사랑의전화 카운슬러
현] 방탄자기계발 유튜버
현] 최보규상(대한민국 노벨상)창시자

강사 15년 / 강의 6,000회를 통해 알게 된
교육 담당자, 학습자가 바라는 강사

1. 가성비 강사 (1+4)
강의 시간 속에 즐거움, 메시지, 스토리텔링,
감동, 실천 동기부여를 해주는 강사

2. 스펙, 강사료 값어치를하는 강사
지금까지 들었던 강사와 다른 내공, 가치, 값어
치가 다르게 느껴지는 강사

3. 실천할 수 있는
강의 사용 설명서를 주는 강사
강의 때 배운 것들 강의 끝난 후 활용할 수 있는
사용 설명서(도구)를 주는 강사

최보규 강사의 차별화 강의가 아닌 초월 강사

 Google 자기계발아마존   YouTube 방탄자기계발   NAVER 방탄자기계발사관학교   NAVER   최보규

1. 가성비 강사가 되기 위해 강사 15년간 2,000권 독서 / 7,000개 메모 / 자기계발서 100권 출간을 통한 메시지, 스토리텔링 강의.

2. 학습자가 봤을 때 "이런 강의는 나도 하겠다."라는 말을 듣지 않고 쓰리 값(나이값, 스펙값, 강사료값)어치를 하기 위해서 강사 11계 명 실천으로 80억 분의 1 검증된 전문가 다운 강의를 하는 강사.

3. 교육, 강의가 끝난 후에 생활 속에서 실천 동기부여를 할 수 있는 도구, 사용 설명서(강사 사비 제작)를 통해 변화, 성장할 수 있게 해주는 강사.

34

20,000명 심리 상담, 코칭을 통해 알게 된
일반인, 강사, 리더, CEO, 은퇴자, 프리랜서가 바라는 코칭 전문가

1. 가성비 코칭
변화, 성장, 자신 분야 연결을 통해 제2수입,
제3수입 까지 발생시킬 수 있는 코칭

2. 시간, 돈 낭비를 하지 않는 코칭
검증이 되지 않는 코칭에 속아 시간과 돈 낭비
를 줄여서 빠른 수입 창출 코칭

3. 코칭, PT 받은 후
A/S, 피드백, 관리를 해주는 코칭
혼자 스스로 할 수 있을 때까지, 자리 잡을 때까
지 멘토가 되어 주는 코칭

최보규 전문가의 차별화 코칭(PT)이 아닌 초월 코칭(PT)

Google 자기계발아존 YouTube 방탄자기계발 NAVER 방탄자기계발사관학교 NAVER 최보규

1. 가성비 코칭을 해주기 위해서 자신 분야와 6가지 수입 창출하는 방법을 연결시킬 수 있는 기술력을 체계적으로 교육하는 코칭.

2. 특허청 등록: 제 40-2072344 호 [최보규 자기계발코칭 창시자] 매뉴얼, 시스템이 검증된 전문가로서 시간과 돈 낭비를 줄여주는 코칭.

3. 청출어람 사명감으로 150년 A/S, 피드백, 관리를 해준다는 우주 최강 책임감으로 멘토가 되어주는 코칭.

자기계발서 150권, 전자책 250권 출간으로
삼성(진정성, 전문성, 신뢰성)이 검증된 전문가
Google 자기계발아마존
YouTube 방탄자기계발
NAVER 방탄자기계발사관학교
NAVER 최보규

종이책 150권, 전자책 250권
총 400권 무인 콘텐츠

24시간 무인 시스템

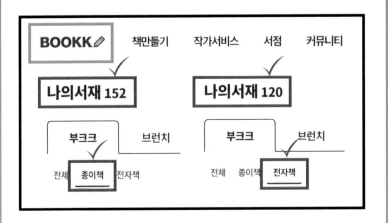

BOOKK✎   책만들기   작가서비스   서점   커뮤니티

나의서재 152   나의서재 120

부크크   브런치   부크크   브런치

전체 종이책 전자책   전체 종이책 전자책

유페이퍼 [최보규] 검색어 콘텐츠   159

이번 생에 건물주는 힘들어도
온라인 건물주는 가능하다!
400층 온라인 건물주를 가능하게 만든 시스템!

방탄book기술력

교육 실적

기업

삼성전자, 현대자동차, 한국전력공사, LG전자, 삼성생명보험, 포스코, GS칼텍스, SK네트웍스, 기아자동차, 현대중공업, 에쓰오일, SK에너지, 한국가스공사, LG디스플레이, GM대우, 교보생명, KT, SK텔레콤, 대한생명, LG화학, 롯데백화점, 신세계백화점, 삼성물산, 삼성화재해상보험, 오일뱅크, 대한항공, 삼성중공업, 현대모비스, 하이닉스반도체, 현대제철, 대우조선해양, 한진해운, 대우건설, GS건설, 현대건설, 한국수력원자력, 휴셀, LG상사, 현대상선, 현대해상화재보험, 대림산업, STX팬오션, LIG손해보험, LG텔레콤, 동부화재, 여천NCC, SK건설, 삼성테크, 삼성SDI, 삼성토탈, 현대하이스코, 한국남부발전, 동국제강, 아시아나항공, 롯데건설, 포스코건설,한화, SK가스, ING생명, 위아, 삼성테크윈, 대우차판매, 쌍용자동차, 제일모직, 한국서부발전, 한국동서발전,신한은행, 현대미포조선, 르노삼성자동차, 현대산업개발, GS리테일, 대우증권, 신한지주금융, 삼성전기, 현대상호중공업, 우리투자증권, 비씨카드, 메리츠화재, 글로비스, 한화석유화학, 삼성카드, 현대증권, 로보트보쉬, 씨티클럽증권, 한독약품, 이마트, 제일기획, 리츠칼튼, 유엔젤, 삼성개발, CJ, 코오롱, 오리온, GS마켓, 종로학원, 김영사, 아트, 코엔텍, 휴스틸, 블루클럽, 한국콘베어, 디시퍼로 신진화학 등 2000여 대중소기업

은행

KB국민은행, 우리은행, 신한은행, 산업은행, SC제일은행, 하나은행, 기업은행, 한국외환은행, 한국씨티은행, 농협, 수협, 축협 등

관공서

금융감독원, 검찰청, 국세청, 경찰청, 법무부, 식약청, 보건복지부, 교육청, 서울시, 각 구청, 서울시, 수원시, 인천시, 안동시, 제주시, 안양시, 거제시, 상주시, 민방위교육장, 한국과학기술평가원, 보훈교육연수원, 각 지역 교육연수원, 한국교육개발원, 농업기술센터, 농업기반공사, 국립공원관리공단, 국립특수교원, 건설교통부재개발원 한국증권업협회 등 200여개 기관

병원

서울대병원, 서울아산병원, 삼성서울병원, 연세대세브란스병원, 가톨릭대 서울성모병원, 아주대병원, 고려대안암병원, 한양대병원, 중앙대병원, 선한목자정형외과, 순천향병원, 보훈병원, 봄빛병원, 이다치과, 소리이비인후과, 영산의료법인 등

대학교 특강 (교양, 최고경영자과정, 명사특강)

서울대, 연세대, 고려대, 중앙대, 한양대, 서강대, 포스텍, 카이스트, 경희대, 인하대, 이화여대, 조선대, 안동대, 건국대, 동아대, 충주대, 대전대, 청주대, 대진대, 한국산업기술대, 금오공과대, 아주대, 경기대, 숙명여대, 동국대, 순천대, 전남대, 영남대, 경기대, 강남대, 세종대, 카톨릭대, 경북대, 부경대, 창원대, 목포대, 광주여대, 한국해양대, 세명대, 충남대, 광운대, 울산대, 국민대, 제주대, 서울시립대, 단국대, 군산대, 경성대, 대구대, 동아방송예대, 동의과학대, 백석대, 백석예술대, 폴리텍대, 인천대 등 150여개 대학교

최보규 방탄강사 창시자

저는 입으로 강의하지 않겠습니다.
제 삶으로 강의하겠습니다.
저는 가르치지 않겠습니다.
제 삶으로 가르치겠습니다.
최보규강사는 명강사, 스타강사가 아닙니다!
그래서 한 달에 15권 책을 보고 메모하며
강의 준비, 솔선수범 하고 있습니다!
최보규강사 보다 강의 잘하는 사람은 많습니다!
다만 최보규강사 만큼 학습자를
사랑하는 강사는 세상에 없을 것입니다!

최보규 방탄동기부여 신조

들어라 하지 말고 듣게 하자.
누구처럼 살지 말고 나답게 살자.
좋아하게 하지 말고 좋아지게 하자.
마음을 얻으려 하지 말고 마음을 열게 하자.
믿으라 말하지 말고 믿을 수 있는 사람이 되자.
좋은 사람을 기다리지 말고 좋은 사람이 되어주자.
보여주는(인기) 인생을 사는 것이 아닌
보여지는(인정) 인생을 살아가자.
나 이런 사람이야 말하지 않아도
이런 사람이구나 몸, 머리, 마음으로 느끼게 하자.

경력은 실력이 아닙니다! 최보규 강사는 경력만으로 강의하지 않습니다!
책을 읽고 메모하며 책을 출간 했다고 강의 내공이 좋은 건 아닙니다!
하지만 책 2,032권, 메모 7,626개, 습관 320가지, 책 100권 출간 내공으로
강의하는 강사에 강의 내공은 단언컨대 "세계 최고"일 것입니다!

15년 2,032권 읽음

15년 7,626개 메모

자기계발서 100권 출간

45년 방탄 습관 320가지

최보규 강사 11계명

1. 학습자에게 섬김을 받으려는 강의가 아닌 학습자를 섬길 수 있는 강의를 하겠습니다.
2. 오늘이 마지막 날인 것처럼 강의하고 영원히 살 것처럼 학습자에게 배우겠습니다.
3. 강의 있는 전날에는 최상의 컨디션을 유지 하기 위해 건강관리, 목 관리, 자기관리 하겠습니다.
4. 강의장 1시간 전에 도착해서 강의 마음가짐 준비하겠습니다.
5. 강의장 가장 먼저 도착 강의 끝난 후 가장 늦게 나오겠습니다.
6. 내 삶이 강의고 강의가 내 삶이 되도록 행동하겠습니다.
7. 힘들게 배운 강의 노하우들 아낌없이 주겠습니다.
8. 어떻게 하면 학습자에게 즐거움? 행복? 메시지? 감동? 희망? 사랑?을 줄 것인가에 항상 생각
   하며 공부하겠습니다.
9. TV보다 책을 더 보겠습니다. 10. 공인이라는 마음으로 솔선수범하겠습니다.
11. 강사의 자존심 아침에 나올 때 신발장에 넣고 나오겠습니다.

방탄강사 백신

★ 잘난 강사가 되지 않고 진실한 강사가 되겠습니다!
잘난 강사는 피하고 싶어지지만 진실한 강사는
곁에 두고 싶어집니다!

★ 대단한 강사가 되지 않고 좋은 강사가 되겠습니다!
대단한 강사는 부담을 주지만 좋은 강사는
행복을 줍니다

★ 멋진 강사가 되지 않고 따뜻한 강사가 되겠습니다!
멋진 강사는 눈을 즐겁게 하지만 따뜻한 강사는
마음을 데워 줍니다.

★ 유명한 강사가 되지 않고 필요한 강사가 되겠습니다!
유명한 강사는 환상을 주지만 필요한 강사는
배움, 성장, 지혜를 줍니다.

해보자! 해보자!
자신 가능성을 믿고!

해보자!

해보자!

자신의

사과 씨, 도토리, 포도 씨 믿으세요!

사과 씨 안에 얼마나 많은 사과가 있는지 모른다!
도토리 안에 얼마나 많은 도토리가 있는지 모른다!
포도 씨 안에 얼마나 많은 포도가 있는지 모른다!

목차

1장
현재 은퇴 49세! 나이제한 없이 할 수 있는 ONLY ONE JOB 본질

평균 희망 은퇴 73세, 현실 은퇴 나이 49세!
100세 시대 언제까지 몸(노동)으로만
일해서 돈을 벌 것인가?

나이 제한 없는 방탄JOB기술력!

1) 지금처럼 살면 진짜 큰일 난다. 지금처럼이 아닌 지금부터 살 거면 시작하자.

누구나 무병장수를 바라고 누구나 은퇴 후 사랑하는 사
람, 가족과 행복한 삶을 바란다. 하지만 현실은 유병병
병병병병병장수 시대이고 은퇴 후에도 남은 인생 100세
까지 일을 해야 살 수 있는 현실이다.

20,000명 심리 상담, 코칭 하면서 알게 된 것은 90%
이상이 은퇴 준비, 노후 준비를 하지 않고 있다. 직설적
으로 말을 하면 하지 않는 것이 아니라 못하는 것이 맞
을 것이다. 3고(고물가, 고금리, 고환율)시대 앞으로 세
상, 현실이 더더더더더 힘들고 어렵겠지만 그럼에도 불
구하고 자신과 사랑하는 소중한 사람들을 위해서 살아
온 날로 살아갈 날을 단정 짓지 말아야 한다.

"내가 할 수 있을까?" 부정적인 말을 하는 순간 핑계를
찾고 "어떻게 하면 할 수 있을까?" 긍정적인 말을 하는
순간 방법을 찾게 된다. 끊임없이 "어떻게 하면 할 수
있을까?"라는 태도로 찾고 배우고 시작해야 한다.

다음은 은퇴 후 삶, 은퇴 준비, 노후 준비를 어떻게 해야 하는지 깨닫게 해주는 내용이다.

끔찍한 노후 피하려면 '3가지'는 무조건 준비하세요.
20년의 직장 생활을 마치고 얼마 전 명예퇴직한 50대 김 부장. 한창 일을 해야 할 시간에 집에 있으니 기분이 이상하다. 더 이상 메일도, 전화도 오지 않는다. 하염없이 소파에 앉아 봤던 방송을 또 본다. 밤에는 노후 자금이 충분한지 걱정돼 잠을 뒤척인다. 희망퇴직을 한 이 부장도 마찬가지다. 그토록 원하던 은퇴였지만 여행과 취미 생활이 시들해지자 깊은 무기력에 빠졌다.

우리는 은퇴라고 하면 광고에서 본 요트를 타고 여유를 즐기는 노년 커플을 떠올린다. 그래서 은퇴를 하면 더 행복해질 것이라고 믿고 최대한 빨리 은퇴하고 싶어 한다. 하지만 대다수의 은퇴자들에게 은퇴 후 현실은 그와 정반대다. 다음은 당신이 은퇴 후 겪게 될 인생의 시나리오다.

1단계 은퇴 허니문.
은퇴 초기는 상승 곡선을 그리며 시작한다. 이 단계에서 사람들은 여행, 쇼핑, 골프 등 그동안 시간이 없어서 못했던 일들을 한다. 대체로 이런 만족감은 1년 정도 지속

된다. 일단 하고 싶었던 일 목록에 있던 모든 일을 마치고 나면 이때부터 문제가 시작된다.

2단계 은퇴 지옥.
은퇴 허니문 기간이 지나면 상당수는 공허함을 느낀다. 그토록 오랫동안 꿈꾸던 취미와 여가 생활에 대한 관심이 사라지고 모든 것이 무의미하게 느껴진다. 특히 일로써 내면의 욕구를 충족시키던 사람들은 일을 통해 얻었던 만족감과 성취감을 그리워하며 무기력하고 우울한 상태에 빠진다.

3단계 회복기.
3단계는 은퇴 지옥에서 벗어날 방법을 찾는 단계다. 운이 좋은 사람들은 빠르게 해결책을 찾지만, 은퇴 지옥에서 오랫동안 헤어 나오지 못하는 사람도 있다.
은퇴 전문가 마이크 드락은 은퇴 지옥에 빠지지 않기 위해 미리 관리해야 할 9가지 항목이 있다고 말한다. (인간관계, 건강, 경제적 독립, 정신, 영성, 공동체, 시간, 태도, 삶의 목적) 그중 몇 가지를 살펴보자.

1. 경제적 독립, 나에게 맞는 노후 자금을 준비하라.
경제적 독립은 은퇴의 필수 요건이다. 경제적 독립이란 더 이상 생계를 위해 일하지 않아도 된다는 의미다. 그렇다면 은퇴 시점에는 어느 정도의 자금이 필요할까?

재무 설계 전문가들은 최소한 연간 지출의 25배 수준의 자금을 확보했을 때 경제적 독립이 가능하다고 말한다. 가장 좋은 방법은 은퇴 전 1년 동안 지출을 모니터링하고 그에 맞는 노후 자금을 확보해 두는 것이다.

만약 자금이 부족하다면 은퇴 후에 계획을 수정해 필요한 노후 비용을 줄이거나 파트타임으로 추가 수입을 창출할 수 있다. 코로나 팬데믹 당시 주식시장이 붕괴됐을 때처럼 예기치 못한 시장 하락을 대비하기 위해서는 은퇴 후에도 적게나마 꾸준히 소득을 창출하는 것이 가장 좋다.

2. 인간관계, 부부의 안녕이 노후의 안녕이다.

연구 결과에 따르면 은퇴 후에는 부부의 결혼 만족도가 일시적으로 대폭 하락한다. 은퇴 직후인 55세에서 64세의 이혼율이 특히 높다. 은퇴 전에는 각자 일을 하고 자녀를 키우느라 많은 시간을 독립적으로 보내다가 은퇴 이후 같이 있는 시간이 길어지며 곪아있던 문제가 표면으로 드러나는 것이다.

은퇴 후 사이가 안 좋아지는 부부들에게는 공통점이 있다. 먼저 소통이 잘 안된다. 상당수는 자기가 하고 싶은 일만 생각하고 배우자가 무엇을 하고 싶은지 잘 모른다. 다음 내용에 대해 얘기해 보며 배우자가 무엇을 하고 싶은지 알아보자.

- 당신이 하고 싶은 것은 무엇인가?
- 당신의 배우자는 무엇을 하고 싶어 하는가?
- 당신은 어디에서 살고 싶은가?
- 당신의 배우자는 어디에 살고 싶어 하는가?
- 당신의 버킷 리스트는 무엇인가?
- 배우자의 버킷 리스트는 무엇인가?

부부간의 의견 차이가 크다면 대화로 중간 지점을 찾아야 한다. 두 번째는 배우자에게 너무 의존하는 것이다. 직장에서 일만 하느라 어떻게 자기 자신을 돌보고 여가 시간을 활용해야 할지 모르는 사람들이 퇴직 후 의지할 사람은 배우자뿐이다. 그래서 배우자를 졸졸 따라다니거나 배우자의 영역에 침범해 모든 시간을 함께하려 한다. 그러나 배우자 역시 그동안 독립적으로 꾸려온 생활이 있기 때문에 은퇴 후 당신을 위해 일상을 완전히 바꿀 것이라고 기대해서는 안 된다.

노후에는 부부 사이가 건강과 행복에 가장 큰 영향을 미친다. 부부 모두 최선을 다해 서로가 다시 연결될 수 있는 환경을 만들어야 한다.

3. 삶의 목적, 아침에 눈 뜨고 싶은 이유를 만들어라.

일을 하고 가족을 부양하는 것이 삶의 목적이었던 사람들은 아이들이 독립하고 대출금을 상환하면 삶의 목적이 사라진다. 목적이 없는 채로 살면 빠르게 은퇴 지옥으로 진입한다. 매일 아침 침대를 박차고 일어나고 싶게 하는 삶의 목적을 되찾아야 한다. 삶의 목적을 찾기 위해서는 어릴 적 꿈을 곱씹어 보는 것이 도움 된다. 다음 질문에 천천히 대답해 보자.

- 어릴 때 당신은 커서 무엇이 되고 싶었는가?
- 어린 시절 가장 좋았던 기억은 무엇인가?
- 어렸을 때 어떤 종류의 일을 좋아했는가?
- 당신의 영웅은 누구였는가?
- 당신은 무엇을 잘했는가?
- 포기한 것 중 되찾고 싶은 것은 무엇인가?

다음과 같은 질문에 답하면서 다이어그램을 그려서 제일 가운데 어떤 대답이 나오는지 보는 것도 좋다. 삶의 목적을 찾았다면 그것을 실현할 수 있는 일을 찾는다.

한 연구에 따르면 일을 계속하는 것이 60대 초반 남성

<u>의 5년 내 사망 확률을 32%나 감소시켰다. 일은 나는</u>
<u>누구인가에 대한 답을 제공하며 성취감과 더불어 자신</u>
<u>의 정체성을 확인할 수 있게 한다.</u>

은퇴 후는 가장 일하기 좋은 타이밍이다. 풀타임으로 일할 필요도 없고, 회사에서 일할 때와 같은 일을 하지 않아도 되기 때문이다. 이전만큼 많은 돈을 벌지 못해도 상관없다. 돈이나 지위는 더 이상 주된 목적이 아니다.

이제는 자신이 잘하고 즐길 수 있는 일, 사회에 기여할 수 있는 일을 할 수 있다. 왜 평범한 노후에 만족하려고 하는가? 두려워하지 않아도 된다. 지금이야말로 당신이 꿈꾸던 삶을 살 수 있는 기회다. 황혼기를 황금기로 바꾸는 새로운 원칙, 노후의 재구성
      - 유튜브 책식주의 -《노후의 재구성》

은퇴 지옥에 빠지지 않기 위해 미리 관리해야 할 9가지 항목이 있다고 했다. (인간관계, 건강, 경제적 독립, 정신, 영성, 공동체, 시간, 태도, 삶의 목적)
9가지를 관리하기 위한 0순위가 나이에 맞는 경제적 활동을 할 수 있는 일을 하는 것이다. 돈으로 9가지가 다 해결이 되지는 않겠지만 나이에 맞는 일을 해야지만 9가지 관리가 잘 될 것이다.

노벨상 받은 사람, 하버드 대학교 교수, 은퇴 전문가, 노후 전문가들 1,000명이면 1,000명이 말하는 것이 최고의 은퇴 준비, 노후 준비는 100세까지 현역을 하는 것이라고 한다.

한마디로 나이에 맞는 일을 해야 된다는 것이다. 인맥, 스펙, 돈, 가진 것이 없는 상황에서 어떻게 하면 나이 제한 없는 JOB를 찾을 것인가? 만들 것인가?

평균 희망 은퇴 73세, 현실 은퇴 나이 49세!
100세 시대 언제까지 몸(노동)으로만
일해서 돈을 벌 것인가?

세상, 현실 기준에서 스펙, 돈, 인맥, 자산 등이 없어서 100세까지 노동을 해야 되고 몸까지 아프면 더 답이 없는 상황! 젊을 때는 100가지 중 99가지를 할 수 있지만 나이 들면 100가지 중 99가지를 할 수 없다. 3고 시대, AI 시대, 챗 GPT 시대에 자신의 직업이 사라 질 수 있는 상황에서 어떻게 준비, 대비할 것인가?

 방탄JOB기술력
선택이 아닌 필수!

한 분야 전문성으로 힘든 시대다. 이제는 포트폴리오 커리어 시대다. (포트폴리오 커리어: 한 분야 전문성 외 다수에 전문성이 있는 사람) 자신 경력을 왜 썩히고 있는가! 자신 경력을 활용해서 6가지 수입을 발생시킬 수 있는 방탄JOB기술력! 언제까지 몸(노동)으로 일할 것인가? 자신 경력이 일하게 하자! 자신 콘텐츠가 일하게 하자! 시스템이 일하게 하자!

★ ★ ★ ★ ★

직장은 자신 인생을 책임져 주지 않지만
방탄JOB기술력은 자신 인생을 책임져 준다.
직장은 자신을 배신하지만
방탄JOB기술력은 자신을 배신하지 않는다.

★ ★ ★ ★ ★
ONLY ONE

방탄JOB
기술력

1장

현재 은퇴 49세! 나이제한 없이 할 수 있는 ONLY ONE JOB 본질

평균 희망 은퇴 73세, 현실 은퇴 나이 49세!
100세 시대 언제까지 몸(노동)으로만
일해서 돈을 벌 것인가?

나이 제한 없는 방탄JOB기술력!

2) 3고 시대 은퇴십은 선택이 아닌 필수!

2) 3고 시대 은퇴섬은 선택이 아닌 필수!

다음은 지금 은퇴 현실을 알려주는 내용이다. 현실을 알아야 목표, 방향을 다시 잡고 행동할 수 있다.

55세~79세 1,500만 명, 은퇴했지만 생활비 벌려고...
[앵커]
만으로 쉰다섯 살에서 일흔아홉 살까지. 이미 은퇴를 했거나 은퇴를 앞두고 있는 나이죠. 이 나이의 인구가 처음으로 1,500만 명을 넘어섰습니다. 10년 만에 5백만 명이나 늘어났는데요. 하지만 이들의 경제 상황은 좋지가 않습니다. 연금을 받는 비율이 절반밖에 안 되고, 액수도 너무 적습니다. 배주환 기자가 전해드리겠습니다.

[리포트]
1943년부터 1967년까지. 이 사이에 태어난 인구는 1,500만 명입니다. 만 55세에서 만 79세까지입니다. 직장에서는 은퇴를 앞뒀거나 이미 은퇴한 나이지만, 절반은 지난 1년 동안 연금을 한 푼도 못 받았습니다.

연금을 받은 나머지 절반도, 한 달 연금이 평균 69만 원에 불과했습니다. 올해 1인 가구 최저 생계비가 116만 원이니까 절반 조금 넘는 정도입니다. 150만 원 이상 받는 사람은 10명 중 한 명에 불과했습니다.

[김○○]
"지원이라는 건 거의 없어요. 국가에서 노령연금하고 연금 조금 나오는 거 있어요." 생활이 안 되니 일자리를 찾아 나섭니다.

[리포트]
일하고 있는 고령층은 877만 명. 고용률은 58%입니다. 둘 다 역대 최고입니다. 10명 중 7명은 계속 일하고 싶다고 답했습니다. 생활비에 보태고 싶어서가 가장 많았고, 일하는 즐거움이 뒤를 이었습니다.

[정○○]
"자식들한테 부담 안 주려고 놔두는 거예요. 있으나 마나예요. 솔직히 지들 살아야 하니까 하나도 안 보태줘요."

[리포트]
이 사람들은 평균 73세까지 일하길 희망했지만, 현실은 거리가 멉니다. 가장 오래 다닌 직장에서 그만둔 나이는 평균 49세. 사업 부진, 휴·폐업, 권고사직이나 명예퇴직 등 10명 중 4명은 자기 뜻과 상관없이 그만뒀습니다.

그렇게 오래 다니던 직장을 그만두고 난 뒤, 20년 넘게 불안정한 일자리를 찾아다녀야 한다는 뜻입니다.

<KBC뉴스 배주환 기자>

통계청에 의하면 희망퇴직 73세이고 은퇴 현실은 49세다. 권고사직, 명예퇴직 10명 중 4명은 자신의 뜻과 상관없이 그만둔다. 이런 현실 속에서 은퇴준비인 은퇴십까지 미리 준비하지 않는 것은 "목표가 없는 배에는 순풍이 불지 않는다."라는 말과 같다.

은퇴를 하면 인생의 진정한 홀로서기인 리더가 되는 것이다. 은퇴 후 리더십은 은퇴십이다.

은퇴준비인 은퇴십까지 미리 준비한다면 기댈 곳, 기대 심리가 생겨 지금 하는 일을 불안, 걱정, 고민이 아닌 안정적으로 더 집중하게 만든다. "모르는 게 약인데, 나이가 몇인데 벌써 은퇴 준비야?" 이런 말 하는 사람들이 있다.

20,000명 심리 상담, 코칭 하면서 많이 물어보는 것이 "미리 준비하면 걱정을 미리 하는 거 아닌가요? 앞으로의 걱정을 당겨서 할 필요는 없잖아요?" 불안한 부정의 걱정이 아닌 변화, 성장, 희망인 긍정의 걱정을 하자는

말이다. 걱정도 부정의 걱정, 긍정의 걱정이 있기에 상황에 따라 해석을 잘해야 한다. 모르는 게 약이 되는 상황이 있고 미리 아는 게 약이 되는 상황도 있다. 은퇴 준비인 은퇴십 준비는 긍정적인 걱정이라는 것이다. 이제는 은퇴십은 선택이 아닌 필수다.

★ 20대 은퇴 예정자? 30대 은퇴 확정자? 40대 은퇴 위험군? 은퇴십 골든타임!

누구에게나 오는 은퇴를 어떻게 받아들이고 은퇴 준비, 시기를 단계별로 나누어서 깨닫게 해주는 내용이다.

은퇴 준비는 선택이 아니라 필수이다.
흔히 요즘은 '백세 시대'라고들 한다. 아마도 인생을 30+30+30 '트리플 서티Triple thirty'라 표현하여 3단계로 나눈다면 훨씬 더 설득력이 있어 보인다. 처음 30년은 신체적으로 성장하여 교육을 받고 독립을 준비하는 시기이고, 다음 30년은 독립해서 한 가정을 이루어 경제활동을 하는 시기이며, 나머지 30년은 퇴직 후 제2의 인생을 살아가는 시기로 우리는 이 마지막 시기를 '인생 2막'이라 부르고 있다.

어쨌든 우리의 인생은 100세이든 90세든 분명 수명이 길어짐에 따라 마지막 인생 2막에 대한 관심이 커지고 있으며 이에 대한 준비도 새롭게 가져가야 될 것이다. 즉 우리들의 퇴직 후의 품격 있는 삶을 위해서는 무엇보다도 준비가 필수적이라 할 수 있다.
은퇴 준비가 잘되어 있는 사람은 은퇴가 불안을 야기하거나 무기력해지는 시기가 아닌 행복하고 품격 있는 생활을 가져 올 것이다. 자신이 선택한 여러 가지 여가 생활을 즐기는 시기이고, 또한 새로운 일이나 직업을 가질 수도 있는 여유로운 시기로 받아들일 수 있다.

하지만 은퇴 준비가 제대로 되지 못한 사람은 퇴직으로 인한 일상의 변화로 우울감, 대인관계 단절에 따른 외로움, 역할 변화에 따른 자기 정체감의 혼돈, 고립감 등을 느끼면서 은퇴를 부정적으로 받아들이게 될 것이다. 그런 사람은 지금까지 아무리 열심히 살아왔다 하더라도 '트리플 서티Triple thirty'의 마지막 30년을 망치게 되는 것이다. 그렇지 않기 위해서는 은퇴에 대한 준비는 반드시 필요한 것이다. ≪은준인≫ 김관열, 와일드북, 2019

<미래한국 김민성 기자>

평균 은퇴 나이 49세이다. 앞으로 은퇴 나이가 더 낮아지는 상황에서 은퇴십을 학습, 연습, 훈련해야만 리더십이 단단해져서 방탄리더십이 된다. 은퇴에는 그 누구에게도 자유롭지 않다. 20대 은퇴 예정자? 30대 은퇴 확정자? 40대 은퇴 위험군? 은퇴십 골든타임을 놓치지 않기 위한 은퇴십 학습, 연습, 훈련해야 한다.

리더라는 자동차에 브레이크는 은퇴십이다. 자동차의 브레이크는 어떤 역할인가? 사람 생명과, 자동차의 생명과 직결 되어있다. 리더의 은퇴준비는 가족, 팀원, 조직체원들을 끌어가는 브레이크 역할을 한다. 모든 도로에는 규정 속도가 있다. 속도를 줄이기 위해서는 브레이크를 활용해야 하듯 리더의 길이라는 도로에서 가족, 팀원, 조직체원들의 속도를 조절시켜줘야 한다. 은퇴십을 준비하는 것이 은퇴준비다.

리더여, 은퇴십을 지금 준비하지 않으면 은퇴 후 50년 인생은 후퇴하게 되어 50년 불행한 인생을 살 것이다. 은퇴 후 50년 행복하게 살고 싶다면 더 늦기 전에 은퇴십을 준비하자.

은퇴준비는 미래 준비이며 리더의 목표, 방향이다. 리더의 비전은 목표, 방향에서 나온다.

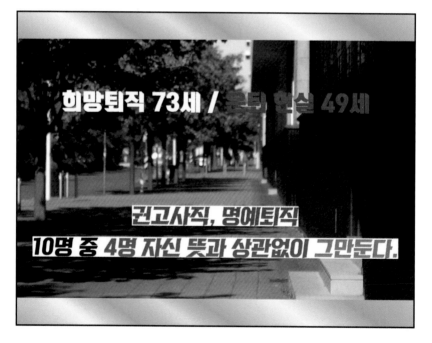

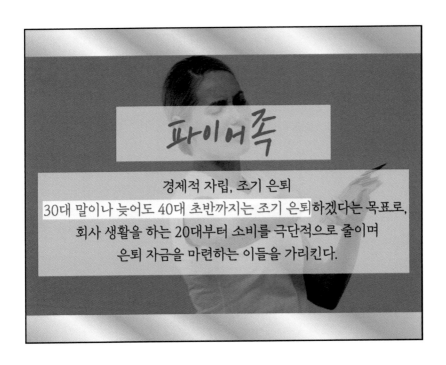

파이어족

경제적 자립, 조기 은퇴
30대 말이나 늦어도 40대 초반까지는 조기 은퇴하겠다는 목표로,
회사 생활을 하는 20대부터 소비를 극단적으로 줄이며
은퇴 자금을 마련하는 이들을 가리킨다.

30세 은퇴를 위해 최OO씨 공무원
28세 회사

40세 은퇴를 위해 김OO씨 OO공기업

35세 퇴사

50세 은퇴를 위해 OOO씨 OO기업

45세 퇴사

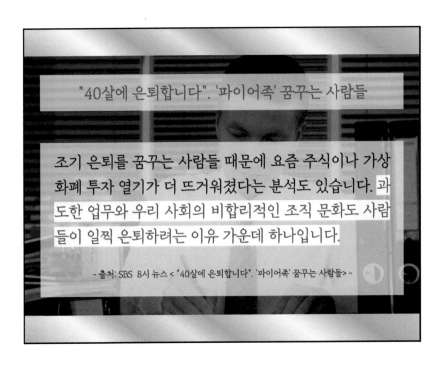

"40살에 은퇴합니다". '파이어족' 꿈꾸는 사람들

조기 은퇴를 꿈꾸는 사람들 때문에 요즘 주식이나 가상화폐 투자 열기가 더 뜨거워졌다는 분석도 있습니다. 과도한 업무와 우리 사회의 비합리적인 조직 문화도 사람들이 일찍 은퇴하려는 이유 가운데 하나입니다.

- 출처: SBS 8시 뉴스 < "40살에 은퇴합니다". '파이어족' 꿈꾸는 사람들> -

이00씨 00대기업

50세 명예퇴직

희망 퇴직 73세 / 은퇴 현실 49세

55살 ~79살 1,500만 명 10년 만에 500만 명이 늘었다.
연금 받는 750만 명
연금을 받더라도 턱없이 부족한 69만 원이다.
1인 가구 최저생계비 116만 원.

- 출처: KBS 뉴스데스크 < 55세~79세 1,500만 명, 은퇴했지만 생활비 벌려고...> -

희망 퇴직 73세 / 은퇴 현실 49세

사람들은 평균 73세까지 일하길 희망했지만, 현실은 거리가 멉니다.
가장 오래 다닌 직장에서 그만둔 나이는 평균 49세.
사업 부진, 휴·폐업, 권고사직이나 명예퇴직 등
10명 중 4명은 자기 뜻과 상관없이 그만뒀습니다.

- 출처: KBS 뉴스데스크 < 55세~79세 1,500만 명, 은퇴했지만 생활비 벌려고...> -

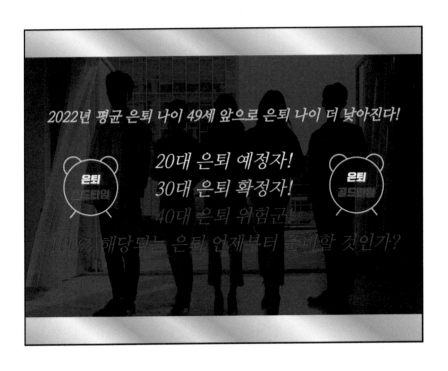

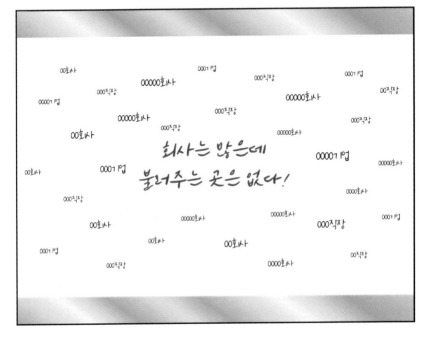

00호사 0001기업 000직장 0001기업

00000호사 000직장 00000호사 000직장

00001기업 000직장 00000호사

00000호사 000직장 00000호사 000직장

00000호사 000직장 00000호사

00호사 000직장

10년, 20년 경력... 인정해 주는 곳은 없고
어떻게 하면 활용, 연결할 수 있을까?

0001기업 00001기업 00000호사

000직장 000호사

00호사 00000호사 00000호사 000직장 0001기업

0001기업 00호사 00호사

000직장 0000호사 00직장

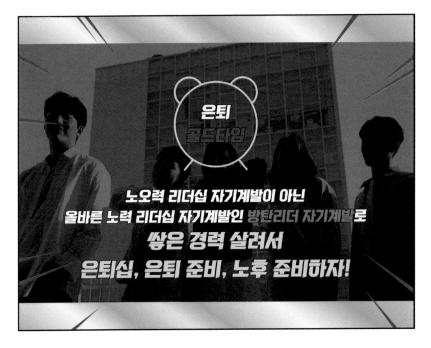

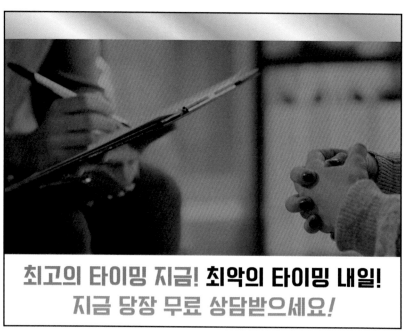

1장

현재 은퇴 49세! 나이제한 없이 할 수 있는
ONLY ONE JOB 본질

평균 희망 은퇴 73세, 현실 은퇴 나이 49세!
100세 시대 언제까지 몸(노동)으로만
일해서 돈을 벌 것인가?

나이 제한 없는 방탄JOB기술력!

3) 직장은 은퇴 당하는 1순위이고
직업은 은퇴 준비에 1순위다?

3) 직장은 은퇴 당하는 1순위이고 직업은 은퇴 준비에 1순위다?

다음은 4차 산업 시대, 5G 시대, 앞으로 10G 시대, 챗 GPT 시대에 "직장인으로서 어떻게 은퇴 준비를 해야 하는가? 일반 사람으로서 어떻게 은퇴 준비를 해야 하는가? 리더로서 어떻게 은퇴 준비를 해야 하는가?" 라는 질문에 깨달음을 주는 스토리텔링이다.

당신에겐 '직장'은 있어도 '직업'은 없을 수도 있습니다.

여러분 한번 생각해 보세요. 나는 앞으로 우리 사회에서 정규직의 분포가 늘어날 거라고 생각하시는 분이 있나요. 많은 직장인들은 계속해서 연봉은 오릅니다. 하지만 몸값은 상대적으로 떨어져요. 왜 떨어지느냐? 직업이 없기 때문에 그렇습니다. 직장은 있어요. 그런데 기술이 없기 때문에 자기의 몸값은 떨어지는 겁니다. (시키는 일만 하다가 빈손으로 퇴사하는 직장인들) 그렇다고 40대 후반에서 50대 초반에 퇴직해서 돈 안 벌고 살 수가 있나요? 국민연금만 갖고 살 수 있나요? 그렇지는 않거든요.

절대 직장을 나오라는 말이 아닙니다. 직장에 있는 동안 자기가 돈과 교환할 수 있는 기술을 만들어 갖고 나와야 됩니다.

Q: 우리가 '직장인'이 아닌 '직업인'이 되어야 하는 이유?

한 가지 질문을 드리면

첫 번째, 통장을 개설한지 오래된 통장.

두 번째, 통장의 개수가 많음.

세 번째, 현금이 제일 많음.

어떤게 제일 좋으세요? 제가 흔히 드는 비유가 있는데 직장이라는 것을 통장에 비유를 하고요. 직업은 현금에다가 비유를 합니다.

직장에 소속돼 있는 상태를 '내가 직업이 있다.'라고 생각하는 경우가 많은 것 같아요. 사실은 그게 아니라 직장이라는 것은 그냥 남이 만들어 놓은 조직인 것이고 직업이라는 것은 내가 직장이나 조직에 소속되어 있든 소속되어 있지 않든 간에 내가 돈과 교환할 수 있는 기술을 갖고 있는 상태를 의미합니다. 그 두 가지가 굉장히 다르다는 것을 생각을 해야 될 것 같아요.

제가 사실 직장과 직업의 차이에 대해서 생각하게 된 계기가 제가 2007년에 퇴직을 했거든요. 퇴직을 하고서 이제 많은 사람들이 그렇듯이 해외여행을 갔는데 비행기에서 입국 신고서를 쓰잖아요. 근데 거기다 직업을 쓰라고 되는데 갑자기 제가 약간 멍해지는 거예요. 왜냐면 회사를 나왔으니까 내가 무직이라고 써야 되나? 근데 내가 조직을 떠났다고 해서 내가 직업이 없다. 라고 쓰는 게 이게 말이 되나? 하면서 그 비행기에서부터 직장과 직업이라는 것이 어떻게 다른지 생각하기 시작한 거죠.

제가 보기에 안타까운 것은 직장 경력은 굉장히 오래되어 있는데 직장을 나오는 순간 경제생활을 할 수 없는 거예요. 대부분이 기술이 없어서 그렇거든요. 그게 뭐냐면 직장은 다닌지는 오래됐고 여러 군데를 다녔는데 통장은 많은데 사실은 내가 그 현금을 벌 수 있는 기술은 없는 상태인 거죠.

지금 이제 저희가 3년 동안 코로나를 겪고 있는데 재택근무가 확대되고 있지 않습니까? 제 고객의 80% 이상도 재택이나 하이브리드로 갑니다. 그러면 재택근무에서 그다음 단계로 우리는 생각을 해 봐야 되는게 재택근무는 직원이 8시간 동안 일을 하는지 안 하는지를 알 수가 없습니다. 그러면 기업의 입장에서는 고용계약서에 굳이 8시간 일하는 조건으로 연봉을 책정해야 할 이유가 사라지는 겁니다. 그다음 시대흐름이 뭘까를 생각을 해보면 앞으로 8시간을 일하는 게 중요한 게 아니라 이 사람이 회사의 어떤 프로젝트를 위해서 4시간을 일하든 10시간을 일하든 간에 결과물을 만들어 줄 수 있는 기술을 갖고 있느냐 없느냐? 차이가 있는 거죠. 그래서 고용계약의 형태가 앞으로는 훨씬 더 자유롭게 바뀌게 될 겁니다. 이제 이렇게 될 날이 멀지 않았습니다. 절대 직장을 나오라는 말이 아닙니다. 직장에 있는 동안 자기가 돈과 교환할 수 있는 기술을 만들어 갖고 나와야 됩니다.

Q: 그냥 '직장인'으로 살면서 잘 버티면 안 되나요?

직장인으로 오래 살 수 있으면 괜찮죠. 근데 아까도 말씀드렸다시피 절대 퇴직하라는 얘기를 하는 게 아닙니다. 퇴직이라는 것은 굉장히 리스크가 큰 거거든요. 근데 오래 남는 게 유리할 텐데 직장에 있다가 언젠간 나올 거잖아요. 만약에 여러분들께서 한번 생각해 보십시오. 여러분들이 만약에 대기업에 오너라고 생각해 보세요. 혹은 월급 사장이라고 생각해 보세요. 아니면 자영업을 하신다고 생각했을 때 "앞으로 2025년까지 제 고용을 보장해 주실 수 있어요?" 제가 여러 조직에 가서 질문했을 때 그 답에 대해서 "3년간 내가 고용 보장 해 줄게" 이런 사람 사실 없습니다. 그러고는 싶죠. 여러분들 중에 한번 생각해 보세요. 나는 앞으로 우리 사회에서 정규직의 분포가 늘어날 거라고 생각하시는 분이 있나요. 없죠. 사실은 정규직은 계속 줄어들 겁니다.

그래서 직장에서 오래 버티기는 굉장히 힘들어지죠. 지금 50대 이상이 30년 이상 직장 생활을 했을 겁니다. 2030 세대는 직장 생활을 30년 하기 힘듭니다.
자기 기술 제 언어로 표현하면 직업인데 직업을 갖고 있을 때 직장에서 버틸 수 있는 가능성이 더 높아지고요. 기술이 있어야 직장에서도 더 그 사람을 붙잡으려고 할 거 아니에요.

PD: 기술이라는 게 이공계만 말하는 게 아니죠?

아니죠. 그게 프로듀서가 될 수도 있는 거고 저처럼 코칭이 될 수도 있는 거고 빵을 만드는 게 될 수도 있고 뭐가 될 수 있는 거죠. 그래서 직장에서 오래 버티는데도 그 기술이 있는 것이 유리하고요. 그 다음에 2011년과 2020년에 통계청에서 발표한 것을 놓고 보면 주된 직장에서 주된 직장의 정의는 자기가 가장 오래 일한 직장입니다. 그 직장에서 나오는 나이가 10년 사이에 53세에서 49세로 줄었습니다. 그러면 앞으로 10년 뒤에는 어떻게 될까요. 40대 중반으로 충분히 내려올 수 있겠죠. 정년퇴직은 법적으로 당연히 보장되어 있죠. 근데 정년퇴직으로 직장을 그만두는 사람이 얼마나 될까요?

2011년에 11%였고요. 2020년에는 7.5%입니다. 얼마 안 되죠. 제가 직장생활이나 사업을 20년 넘게 했는데 제 주변에서 제가 아는 사람들 중에 적지 않은 사람들 중에 61세에 정년퇴직을 정말 명예롭게 한 사람을 20년이 넘는 동안 딱 두 번 봤습니다. 한 사람이 사장의 운전기사분이었고요. 또 한 분이 오래 있었는데 이전 직장에 선배인데 이 분은 임원으로 가는 길을 택하지 않고 그냥 만년 부장으로 남아서 61세까지 일하고 파티하고 끝냈어요. 그 직장이 정말 좋은 직장이기 때문에 가능했던 거죠. 딱 두 사람 빼고는 제가 그 어떤 사람도 제가 아는 사람 중에 정년퇴직을 하신 분을 못 봤습니다. 반면에 명퇴는 100배 이상 많이 봤어요. 명퇴라는 말이 사실 이게 아주 말장난이거든요. 여러분들 명퇴를 명예롭게 하시는 분을 봤습니까? 사실은 완전히 밀어내는 거거든요.

직장인들이 보통 연봉을 자기 몸값이라고 생각하잖아요. 심각한 오해입니다. 만약에 제 몸값이 제 연봉이라면 제가 조직을 떠나도 제 몸에 붙어 있는 가치이기 때문에 제가 연봉만큼을 벌 수 있어야 됩니다. 어디에서든 그런데 소속이 끝나는 순간 자기의 수입이 확 줄어요. 그러면 몸값이 아닌 거죠. 그러니까 제가 봤을 때 많은 직장인들은 계속해서 연봉은 오릅니다. 하지만 몸값은

90

상대적으로 떨어져요. 왜 떨어지느냐? 직업이 없기 때문에 그렇습니다. 직장은 있어요. 그런데 그 기술이 없기 때문에 자기 몸값은 떨어지는 겁니다.

4050세대가 회사에서 나올 시점이면 관리직인 경우가 많은데 사실 직원 관리가 기술이 되는 케이스는 굉장히 드물거든요. 근데 이제는 40대 후반에서 50대 초반에 퇴직해서 돈 안 벌고 살 수가 있나요? 국민연금만 갖고 살 수 있나요? 그렇지는 않거든요. 그리고 사람이 일을 한다라는 건 이런 의미라고 생각하거든요. 내가 누군가에게 도움을 주고 가치를 줄 수 있는 자기 존재감을 느끼는 것이기 때문에 일을 안 하고 산다는 것은 경제적인 것뿐만이 아니라 자기의 어떤 존재가치를 입증하는데 있어서도 힘든 점이 올 수가 있죠.

그동안 우리가 아직도 우리 부모 세대의 패러다임에서 직장 생활을 하고 있는 경우들이 많이 있는 것 같아요.

직장 내에서 그냥 시키는 것만 그냥 뭐 팀원들 관리해라. 근데 그 직장이 과거에는 우리를 60대까지 책임져 줬다면 지금은 세상이 바뀌어서 책임져 주지 않잖아요. 냉정하게 얘기하면 직장은 우리를 보호해 주지 않습니다. 하지만 직업은 우리를 보호해 줄 수가 있는 거죠.

Q: '직업인'이 되고는 싶은데 뭘 잘하는지 모르겠어요.

저는 제 고객분들도 그렇고 아니면 독자분들이 그럼 나에게 제일 중요한 질문이 뭐냐? 라고 했을 때 제가 항상 강조하는 게 뭐냐면 what do you want? 입니다. "직업인이 되는 첫걸음은 내가 뭘 하고 싶은지 알아야 한다." 뭘 원하느냐? 어떤 일을 원하느냐? 지금 4050대 분들이 다 그렇겠지만 위에서 시키는 대로 직장에서 일을 해왔거든요. 상사가 뭘 원하는지 기가 막히게 알아요. 눈치가 진짜 빨라요. 내 고객이 뭘 원하는지는 굉장히 잘 알아요. 근데 내가 뭘 원하지? 라는 질문에는 답변을 못하는 거죠. 제가 보기에 그 답을 못하는 이유는 그냥 고민만 해서 그렇습니다. 그리고 술자리에 안주로만 그것을 삼기 때문에 그렇습니다. "나 도대체 퇴직하고 뭘 해야 되지?"라고 그냥 술자리에서 안주로만 삼는 거죠.

아마존의 창업자인 제프 베이조스가 그런 얘기를 했었거든요. "네가 열정을 찾는 게 아니라 열정이 너를 찾는 거다." 사람들이 이것을 잘못 오해해서 아, 그럼 내가 가만히 있으면 열정이 찾아올 때까지는 기다리면 되겠구나. 그게 아닙니다. 열정이 나를 발견하기 쉽게 만들어 줘야 되거든요. 그러면 내가 막 돌아다녀야 돼요. 내가 여기저기 자꾸 찔러봐야 되는 거예요. 그러니까 자꾸 이런저런 실험을 해봐야 되는 거죠. 한 가지 예를 들어 볼게요.

40대 직장인이 있습니다. 방송국하고 신문사에서 웹사이트 관리를 했어요. 근데 이분이 옛날부터 콘텐츠에 관심이 있어서 요즘 동네 서점이 인기라고 하니까 동네 서점을 해본 거예요. 1년 반 만에 접었어요. 망한 거죠. 돈을 잃지는 않았는데 돈을 그렇다고 많이 번 것도 아니고 근데 서점을 하면서 이제 한 가지를 알게 된 거예요. 뭐냐면 동네 서점이기 때문에 그 매대가 작기 때문에 자기가 굉장히 세심하게 큐레이션을 해야 되잖아요. 큐레이션을 했을 때 누군가가 와서 지갑을 열고 그 책을 사가는 경험에서 굉장히 짜릿함을 느낀 거예요. "아, 내가 그런 걸 좋아하는 것을 깨닫게 된 거예요." 이 분이 롱 블랙이라는 지시콘텐츠 업체 김종원 공동 대표입니다.

그러면 여러분들이 창업을 하라는 얘기냐? 그것도 아닙니다. 여러분 자리에서 할 수 있는 실험들이 있을 거예요. 예를 들면 회사 내에 다른 부서로 이동을 해본다든지 아니면 회사에서 안 하던 프로젝트에 내가 자원을 해본다든지 아니면 퇴근 후에 사이드 프로젝트를 해본다든지 세바시 같은 곳에 와서 새로운 교육을 들어본다

든지 자꾸 자기가 발을 담고 봐야 되는 거죠. (퇴사, 창업이 아니라 내 자리에서 할 수 있는 실험부터)

예를 들면 제가 지금 현재 벌어들이는 수입에 대다수가 임원 코칭입니다. 그럼 제가 직장생활을 코치로 했었느냐? 아닙니다. 저는 컨설턴트였어요. 근데 싱가포르에 출장을 갔다가 돌아오는 비행기를 싱가폴 공항에서 기다리는데 시간이 남아서 미국인 선배 상사를 만났죠. 선배가 '맥주나 마시자'라고 해서 공항에서 맥주를 마시다가 이런저런 얘기를 하다가 갑자기 "너 코칭하고 컨설팅이 뭐가 다른지 알아?" 저는 몰랐어요. "똑같은 거 아니야?" 그랬더니 아니라는 거예요. 컨설팅은 답을 주려고 하는 거고 코칭은 여러분 지금 세바시에서도 그렇게 하지만 질문을 던져서 고객이 스스로 답을 찾도록 만들어 주는 게 코칭이라는 거예요. PD: 아, 세바시에 <인생질문>이 바로 코칭이네요? 그렇죠! 코칭 그룹이죠! 그게 저한테 약간 호기심이 생기더라고요. 그래서 회사에서 시키지도 않았는데 인터넷 검색을 하고 책을 사서 보고 교육도 들어보고 다 자비로 한 거죠. 그게 저한테 실험인 거예요. 그러다가 제가 있던 회사에다가 컨설팅 회사였는데 코칭 서비스를 한번 제가 작게 개설을 해 본 거예요. 이게 팔리나 안 팔리나 두 가지를 발견했어요.

첫 번째 잘 팔리더라. 두 번째 고객도 만족하고 나도 더 만족하더라. 그래서 코칭을 해야 되는데 코칭에 한참 관심을 가질 때 제가 사장이 된 거예요. 사장이 되니까 코칭을 많이 할 수가 없는 거예요. 관리를 해야 되니까 사장을 3년 하고 나서 제가 내린 결론은 뭐였냐면 사장역할을 잘할 수는 있겠는데 내가 이걸 계속하고 싶지도 않다는 거였습니다. 그래서 그러면 내가 가진 시간에 대부분을 코칭에 쏟을 수 있는 방법이 뭘까? 1인 기업을 창업한 겁니다. 제가 코칭을 한 것도 결국은 그냥 고민만 했다면 절대로 되질 않는데 자꾸 실험을 해봐야 되는 거죠.

그게 절대로 회사를 나와서 창업을 하라고 하는 게 아닙니다. 회사에 있을 때 작은 실험들을 해보시는 게 굉장히 중요합니다. 직장 사용 설명서라는 걸 제가 만약에 한 줄로 만든다면 직장 다니는 동안 다른 말로 하면 매달 25일 날 월급이 꽂히는 동안 비교적 안정되잖아요. 그동안에 내가 기술을 만들어서 나와야 된다는 겁니다. 60세에서 나오든 50세에 나오든 내가 원해서 나오든 내가 밀려서 나오든 나오기 전에 만들어야 되는 것이죠.

직장도 여러분들을 이용하잖아요. 어떻게 이용하나요. 30~40대는 쫙 빼먹고 40대 후반에서 이제 밀어낼 생각하죠. 마찬가지로 우리도 직장을 이용할 생각을 해야 되는 겁니다.

Q: 현실적으로 직장 다니면서 직업을 찾기가 어렵다면요?

여러분들께서 직장에 할 수 있는 일 중에서 찾아내는 방법이 사실은 제일 좋구요. 아닌 경우도 있죠. 아무리 찾아도 직장 일과는 상관이 없다면 직장을 바라보는 시선이 바뀌어야 되는 거예요. 만약에 나는 직장에서 하는 일과는 상관없는 일을 직업으로 만들고 싶다. 그러면 직장을 선택하는 기준이 돈보다도 칼퇴를 할 수 있느냐 없느냐를 기준으로 해야 되는 거죠. 기술을 쌓을 수 있는 시간을 확보할 수 있잖아요.

김유미 작가라는 분이 직장은 다니는데 이분은 직장에서 일하는 걸로 직업을 만들고 싶지 않아요. 7시부터 화실에 들어가서 3시간 동안 그림을 그릴 수 있느냐 이게 중요한 거예요. 이분의 전시를 가서 봤는데 그림이 몇백만 원에 팔리고 있어요. 그래서 어떤 직업을 만들고 싶으냐에 따라서 직장을 구하는 기준이 달라야 되죠.

직장에서 하는 일과 상관없이 직업을 만들고 싶은데 야근하는 직장을 고른다. 그건 전략이 잘못된 거죠.

지금 한번 여러분들이 쓰는 캘린더를 한번 열어 보세요. 그리고 지난 한 달 동안 자신과의 약속 시간이 잡혀 있는지를 한번 보세요. 나와의 약속! 다른 사람이 아니라 나와의 약속! 많은 사람들이 없다고 얘기하거든요. 캘린더에다가 남의 약속만 적어놔요. "너 수요일 날 저녁에 시간 있어?" "응! 시간 비었어." 그리고서는 내가 꼭 나가지 않아도 되는 시간이고 내가 직업을 만들기 위해서 투자할 수 있는 시간을 그냥 남들한테 줘요! 그러니까 돈은 함부로 남한테 안 주는데 시간은 너무 남한테 그냥 주는 거죠.

제가 한 가지 비하인드 스토리를 말씀드릴게요. 세바시에서 <인생질문>에서 저한테 오늘 출연해달라고 하는 것을 1월에 연락이 왔었습니다. 근데 왜 8월에 잡혔느냐? 제가 1월부터 상반기에 목요일을 전부 다 제시간으로 잡아 놨어요. 나와의 약속으로 그 시간은 제가 지킨 거죠. 사람들은 자기와의 시간은 항상 남과의 시간에다가 줄 수 있다고 생각을 해요. 자기만의 시간이 있어야 됩니다. 주식도 미리 투자를 해놔야 되잖아요. 그런 것처럼 자기 직업을 만드는 것도 자기 시간 투자를 해놔야 되는 거죠.

제가 설득에 심리학이라는 워크샵을 치알디니에게 직접

배워서 갖고 와서 15년 동안 하고 있거든요. 저한테는 수입 원이기도 하죠. 이걸 어떻게 배운 거냐면요. 직장 다니는 동안 치알디니 워크샵에 저를 보내줄 리가 없잖아요? 그 비싼 데다가. 제가 제 휴가를 내서 제 돈으로 비행기 타고 가서 그 워크샵을 배워온 게 첫 계기가 된 겁니다.

자기 돈과 자기 시간을 써서 여러분들께서 직업을 찾아보고 해야 되는 거죠. 이걸 하는 게 나는 힘들고 귀찮다? 그럼, 아마도 그건 여러분들의 직업이 아닐 가능성이 높습니다.

제가 책을 쓰는 과정에서 그리고 책을 쓰고 나서 주로 30대에서 40대 초반에 이제 직장을 나와서 창업한 분들을 만나서 이렇게 인터뷰를 해볼 기회가 있었습니다. 카페를 하는 분도 있었고 식당을 하는 분도 있고 빵을 굽는 사람도 있었고 여러 사람이 있었는데 제가 물어봤어요. "직장에 있을 때보다 돈을 많이 벌어요? 아니요! 직장 있을 때보다 쉬는 시간이 더 많아요? 휴가 더 많이 써요? 아니요! 그러면 직장 있을 때보다 더 해피해요? 더 행복해요!" 돈을 덜 벌고 일은 더 많이 하고 더 쉬지 못하는데 더 해피하다. 이게 저한테는 약간 퍼즐 같았어요.

워라벨이라는 것을 보통 직장에서 보내는 시간과 자기 개인 시간에 균형으로 생각하잖아요. 워라벨은 내가 직장에서 하는 일이 나 좋은 일이 아니라 남 좋은 일이라고 생각할 때 그 중요도가 굉장히 올라갑니다. 그런데 제가 좀 전에 말씀드렸던 직장에서 나와서 자기 직업을 갖고 한 사람들은 자기가 일하는 시간이 많고 쉬는 시간이 적은데도 너무 재미있는 거예요. 왜냐면 그 시간 하나하나 하나가 다 나를 위한 일이라고 생각하는 거예요. 그래서 제가 워라벨에 대한 해석을 바꿨어요.

"워라벨은 남 좋은 일과 나 좋은 일에 균형이다."

제가 그런 얘기를 하거든요. 워라벨을 정말로 확보하려면 한동안은 좀 워라벨이 안 좋다라고 느끼는 순간들이 있다. 그렇게 해서 자기의 직업을 만들어야 된다고. 어떻게 보면 자기가 놀거나 쉴 수 있는 시간을 투자해야 40대~50대 가서 훨씬 더 여유 시간이 많아질 수가 있는 거죠. 그런 점에서도 조금이라도 빨리 자기 직업을 만드는 데 시간을 쏟는 게 굉장히 중요하다고 생각합니다. 제가 오늘 여기에 오신분들께 일이 갖는 세 가지 의미를 말씀을 드릴 테니까 생각해 보시면 100에서 몇 프로씩을 나한테 의미가 있는지를 한번 생각해 보시면 좋겠어요.

첫 번째는 머니 메이커입니다.

돈을 만들어 내는 것으로써의 일의 의미. 아마 대다수 사람들이 그럴 겁니다. 저한테도 그랬고 절반 이상이 될 겁니다.

두 번째가 success 메이커입니다.

내가 내 분야에서 성공 경험을 만들어서 그게 승진이든 어떤 프로젝트에 성공이든 성장을 만들어 내는 거예요.

세 번째가 미닝 메이커예요.

의미를 만들어 내는 겁니다. 내가 이 일을 함으로써 딴 건 모르겠지만 이 일을 하려고 내가 이 세상에 나왔나 봐 나의 존재감을 느낄 수 있는 거죠.

세 가지의 배분이 다 다를 텐데 제가 여러분들께 이제 직업과 관련 지어서 말씀드리고 싶은 것은 미닝 메이커에 대해서 한번 생각을 해보시면 좋을 것 같아요. 왜냐면 이게 돈만이 아니라 의미를 만들어 내는 일을 할 때 사실은 사람들이 더 기쁘게 이걸 지속할 수가 있거든요. 그리고 더 이걸 성장시키려고 하죠. 왜 나이 들면 그런 생각 하잖아요. 나 잘 살고 있는 걸까? 첫 번째는 내가 삶이나 일에서 원하는 게 뭘까? 두 번째는 내가 그 방향으로 가고 있으면 잘 살고 있는 거고 내가 뭘 원하는

지도 모르겠고 당연히 그러면 내가 그 방향으로 가고 있는지도 모르겠죠. 그러면 잘 살고 있는 게 아니겠죠. 성공한 직업이라는 것도 제가 머니 메이커, 석세스 메이커, 미닝 메이커 중에서 내가 원하는 비율이 어떻게 되는지를 파악하고 그 방향으로 가면 되는 거죠. 여러분들께서 세바시 <인생질문>을 통해서 직장인보다는 직업인으로서 내가 뭘 원하는지를 조금 새롭게 발견하는 그런 계기가 됐으면 하고 감사한 마음 전합니다.

<세바시 인생질문> - 김호 더랩에이치 대표 -
당신에겐 '직장'은 있어도 '직업'은 없을 수도 있습니다.

직장은 배신하고 직업은 배신하지 않는다. 그래서 직업을 만들기 위한 학습, 연습, 훈련하는 방법을 전문가에게 기술력을 전수 받아야 한다. 직장은 노오력이고 직업은 올바른 노력이다. 그래서 올바른 노력을 하기 위해 학습, 연습, 훈련하는 방법을 전문가에게 전수 받아야 한다.

20,000명 심리 상담, 코칭 하면서 늘 말하는 것이 있다. 운전을 배울 때 카레이서(성공한 사람, 전문가, 사람들이 인정한 사람들)에게 운전을 잘하는 방법, 공식을 배우더라도 운전 하는 사람 태도가 안 좋으면 운전 방법, 공식

은 쓰레기 되어 난폭운전, 보복 운전을 하는 것이다. 운전 하는 습관을 보면 그 사람 인성이 보인다. 벤츠를 타고 다니는 사람이 운전 태도가 안 좋다면 벤츠는 마티즈보다 못한 차가 되는 것이고 마티즈를 타고 다니는 사람이 운전 태도가 좋다면 벤츠보다 좋은 차가 되는 것이다. 안전으로 따지봤을 때 벤츠가 마티즈보다 월등하게 우수하다. 하지만 세상에서 가장 안전한 차는 대통령의 방탄차가 아니라 신호 준수, 안전거리 확보, 예측 운전, 방어 운전, 양보 운전하는 당신의 운전 태도다.

세상 모든 방법, 공식 전에 선행되어야 할 것은 태도를 만들어 내는 자존감 본질, 멘탈 본질, 습관 본질, 행복 본질이다.

"직장인으로서 어떻게 은퇴 준비를 해야 하는가? 일반 사람으로서 어떻게 은퇴 준비를 해야 하는가? 리더로서 어떻게 은퇴 준비를 해야 하는가?" 라는 질문에 정답은 방법, 공식보다 먼저 은퇴에 대한 태도인 자존감 본질, 멘탈 본질, 습관 본질, 행복 본질을 학습, 연습, 훈련을 먼저 해야 한다.

직장과 직업의 의미와 직장인으로서 은퇴 준비, 일반인으로서 은퇴 준비, 리더로서 은퇴 준비를 어떻게 해야 하는지 어느정도 느낌을 받았을 것이다. 느낀 만큼 바로 행동하지 않으면 다 쓰레기 된다는 것을 명심하자.

지금 당신이 배움, 감동, 울림 받은 것을 쓰레기가 되는 것을 막아 주겠다. 지금 바로 상담 받지 않으면 배움, 감동, 울림 받은 것은 다 쓰레기가 된다.

은퇴 준비 가장 좋은 방법, 공식?

세상에서 가장 안전한 차는 대통령 방탄차, 벤츠가 아니라 신호 준수, 안전거리 확보, 예측 운전, 방어 운전, 양보 운전하는 당신의 운전 태도다!

대통령 방탄차, 벤츠
(은퇴 준비 방법, 공식)

운전 태도(은퇴 준비 태도)

은퇴 자존감, 은퇴 멘탈
은퇴 습관, 은퇴 행복
은퇴 자기계발, 은퇴 코칭

평균 희망 은퇴 73세, 현실 은퇴 나이 49세!
100세 시대 언제까지 몸(노동)으로만
일해서 돈을 벌 것인가?

세상, 현실 기준에서 스펙, 돈, 인맥, 자산 등이 없어서 100세까지 노동을 해야 되고 몸까지 아프면 더 답이 없는 상황! 젊을 때는 100가지 중 99가지를 할 수 있지만 나이 들면 100가지 중 99가지를 할 수 없다. 3고 시대, AI 시대, 챗GPT 시대에 자신의 직업이 사라 질 수 있는 상황에서 어떻게 준비, 대비할 것인가?

방탄JOB기술력
선택이 아닌 필수!

한 분야 전문성으로 힘든 시대다. 이제는 포트폴리오 커리어 시대다. (포트폴리오 커리어: 한 분야 전문성 외 다수에 전문성이 있는 사람) 자신 경력을 왜 썩히고 있는가! 자신 경력을 활용해서 6가지 수입을 발생시킬 수 있는 방탄JOB기술력! 언제까지 몸(노동)으로 일할 것인가? 자신 경력이 일하게 하자! 자신 콘텐츠가 일하게 하자! 시스템이 일하게 하자!

★ ★ ★ ★ ★
직장은 자신 인생을 책임져 주지 않지만
방탄JOB기술력은 자신 인생을 책임져 준다.
직장은 자신을 배신하지만
방탄JOB기술력은 자신을 배신하지 않는다.

★ ★ ★ ★ ★
ONLY ONE
방탄JOB
기술력

★ 은퇴 당하면 인생이 힘들어지고 은퇴를 준비 하면 인생이 힘이 난다!

20,000명 심리 상담, 코칭 하면서 알게 된 일에 대한 사람들의 평균 심리가 있다. 지금 하고 있는 일이 하고 싶었던 일, 꿈이였던 사람이 1%도 되지 않는다. 먹고 살기 위해서, 하고 싶은일은 아니지만, 꿈이였던 일은 아니지만 마지못해서 하는 사람들이 99%라는 것이다. 앞에서도 언급을 했듯이 49세 나이에 은퇴하는 현실인 상황에서 은퇴를 당하지 않기 위해 전전긍긍하는 사람들이 99%라는 것이다. 너무 긍정적으로 말을 했는가? 다시 정정하겠다.

극단적으로 말을 하겠다. 전전긍긍하는 사람은 9%이고 90%가 미래에 대한 목표, 방향 없이 세상, 현실에 은퇴를 당하고 대충 산다. 한마디로 90%는 은퇴를 당한다는 것이다. 오해하지 말고 들어라. 90% 사람들이 인생을 잘 못 살고 있다고 말하는 게 아니다. 누구나 인생을 의미 있게, 행복하게 은퇴 당하지 않고 살 수 있다. 단지 인생을 의미 있게, 행복하게, 은퇴 당하지 않는 방법을 모를 뿐이다. 방법을 몰라서 인생을 사는 게 안타까워서 말을 하는 것이다.

안타까운 사람의 심리가 언제 드는지 아는가? 안타까운 사람의 심리가 안쓰러워서 마음이 짠해서 드는 것도 있지만 필자가 말하는 안타까운 심리는 이럴 때이다. "이렇게 하면 인생을 의미 있게 살 수 있는데, 이렇게 하면 자신 분야를 행복하게 일 할 수 있는데, 이렇게 하면 은퇴 준비를 잘 해서 은퇴 당하지 않는데" 라는 마음이 들 때이다.

필자의 코칭을 받고 자신 인생과 자신 분야를 의미 있게 행복하게 사는 방법, 은퇴 준비로 은퇴 당하지 않는 방법을 배워서 인생터닝포인트를 하는 리더, 사람들이 있었기에 필자를 만나지 못해서 나다운 인생의 길을 헤매고 있는 사람들을 볼 때마다 안타까운 마음이 들기 때문에 필자 기준에서 안타까운 심리를 말을 하는 것이다.

대한민국 직업이 12,000가지가 있다. 평균적으로 안정적인 직장에서 강제 은퇴 없이 정년에 맞춰 일을 하고 싶어 한다. 12,000가지 직업 중에 안정적으로 강제 은퇴 없이 정년까지 일할 수 있는 일이 몇 개나 될까? 로또(800만 분의 1)확률 만큼이나 정년까지 할 수 있는 사람은 극소수 일 것이다. 앞으로 시대는 더하면 더했지 덜 하지 않는다는 것을 누구나 알 것이다.

20,000명 심리 상담, 코칭 하면서 알게 된 것은 대부분 사람들이 은퇴 준비가 돈만 많이 벌어 놓으면 된다는 착각 속에 살고 있다. 은퇴의 본질을 모르고 살고 있다는 것이다. 본질을 모르니 은퇴 준비가 제대로 되겠는가? 은퇴 준비가 안되는 게 정상이다.

은퇴 준비에서 돈이 필요 없다고 말하는 것이 아니라 중요도를 퍼센트로 따지만 100%중에 30%밖에 되지 않는다. 30%라는 말을 들으면 이런 의문점이 들것이다. "헉! 돈의 중요도가 50%이상 아닌가요? 일단 돈이 많으면 은퇴를 당하더라도 할 수 있는 선택지가 많기에 돈이 가장 중요한거 아닌가요?" 라는 생각은 틀린말은 아니지만 틀렸다.

20,000명 심리 상담, 코칭 하면서 알게 된 것은 은퇴 준비, 노후 준비에 필요한 7가지에서 돈의 중요도는 30%이고 6가지가 70%의 비중을 차지한다. 7가지가 균형을 이룰 때 은퇴 준비, 노후 준비가 되는 것이다.

은퇴 준비, 노후 준비 7가지가 무엇일까?

리더 은퇴 준비가 곧 리더 노후 준비 이다. 리더 은퇴 준비와 리더 노후 준비는 가족이여서 땔 수가 없다. 은퇴 준비가 노후 준비이고 노후 준비가 은퇴 준비라는 것이다.

리더 은퇴 준비, 리더 노후 준비를 집, 건물로 비유를 하겠다. 집, 건물을 짓는데 가장 중요한 것이 기둥이다. 다음은 세상에서 가장 중요한 것들은 7가지 기둥으로 이루어졌다. 그 기둥을 깨닫게 해주는 스토리텔링이다.

세상의 모든 것은 기둥으로 이루어져 있습니다. 어떤 기둥은 무너지면 모든 것이 무너지지만 어떤 기둥은 천천히 무너집니다. 당신의 방탄멘탈 기둥은 튼튼하십니까?

- 자연 7개 기둥: 태양, 물, 땅, 바람, 동물, 태풍, 식물
- 자동차 7개 기둥: 운전습관, 엔진, 바퀴, 핸들, 브레이크, 엑셀, 사이드미러
- 뇌 호르몬 7개 기둥: 생활습관, 엔도르핀(쾌감 자극), 세로토닌(행복), 도파민(의욕, 열정, 동기), 아드레날린(신체능력), 멜라토닌(수면), 옥시토신(사랑)
- 몸 7개 기둥: 자기관리 습관, 뇌, 눈, 머리, 장기, 팔, 다리

- 사랑 7개 기둥: 사랑 습관, 맞춰가려는 행동, 존중, 인정, 배려, 자존심 내려놓기, 이기는 것보다 지려는 마음
- 인간관계 7개 기둥: 인간관계 습관, 존중, 이해, 맞춰가려는 행동, 말투, 만만하게 보이지 말자, 인연 끊을 사람 빨리 끊자.
- 일 7개 기둥: 일하는 습관, 하고 싶은 일은 아니지만 하고 싶은 일을 찾기 위한 디딤돌이라는 마음, 전문성, 프로정신, 있으나마나 한 존재가 아닌 대체 불가능한 존재, 제2의 가족, 월급
- 행복의 7개 기둥: 자존감, 자신감, 자기관리, 자기계발, 멘탈, 습관, 긍정
- 방탄멘탈 7개 기둥: 자자자자멘습긍(자존감, 자신감, 자기관리, 자기계발, 멘탈, 습관, 긍정)

삶의 질을 높이기 위한 7개 기둥, SNS 시대에 자신의 페이스를 잃지 않고 살아가기 위한 7개 기둥 자자자자멘습긍! 시작하십시오.

《나다운 방탄멘탈》

자연, 자동차, 뇌 호르몬, 사랑, 일, 행복, 방탄멘탈... 등 사람이 살아가는데 가장 중요한 것들에 기둥 7가지가 있듯이 리더 은퇴 준비라는 건물, 리더 노후 준비라는 건물에서 가장 중요한 기둥 7가지가 있다. 세계 최초 공개한다.

1. 방탄리더십 기둥 (삼성 리더십: 진정성, 전문성, 신뢰성)
2. 리더 자존감 기둥
3. 리더 멘탈 기둥
4. 리더 습관 기둥
5. 리더 행복 기둥
6. 리더 자기계발(돈) 기둥
7. 리더 코칭 기둥

20,000명 심리 상담, 코칭 하면서 알게 된 것은 나다운 인생, 행복한 인생, 삶의 질이 높은 사람들의 가장 큰 특징 중 하나가 7개 기둥 관리를 잘 한다는 것이다. 리더를 떠나서 모든 사람들에게 중요한 기둥 7개라는 것이다.

★ 자연 7개 기둥: 태양, 물, 땅, 바람, 동물, 태풍, 식물.

★ 자동차 7개 기둥: 운전 습관, 엔진, 바퀴, 핸들, 브레이크, 엑셀, 사이드미러.

★ 몸 7개 기둥: 자기관리 습관, 뇌, 눈, 머리, 장기, 팔, 다리.

★ 사랑 7개 기둥: 사랑 습관, 맞춰가려는 행동, 존중, 인정, 배려, 자존심 내려
　　　놓기, 이기는 것보다 지려는 마음.

★ 인간관계 7개 기둥: 인간관계 습관, 존중, 이해, 맞춰가려는 행동, 말투, 만
　　　만하게 보이지 말자, 인연 끊을 사람 빨리 끊자.

★ 행복의 7개 기둥: 자존감, 자신감, 자기관리, 자기계발, 멘탈, 습관, 긍정.

리더 은퇴 준비, 리더 노후 준비 기둥 7개

1. 방탄리더십 기둥

(삼성 리더십: 진정성, 전문성, 신뢰성)

2. 리더 자존감 기둥 3. 리더 멘탈 기둥

4. 리더 습관 기둥 5. 리더 행복 기둥

6. 리더 자기계발(돈) 기둥 7. 리더 코칭 기둥

은퇴 준비의 중요한 7가지 균형

20,000명 심리 상담, 코칭 하면서 알게 된 것은 은퇴 준비, 노후 준비에 필요한 7가지에서 돈은 30%이고 6가지가 70%이다.

7가지가 균형을 이룰 때 은퇴 준비, 노후 준비가 되는 것이다.

리더 은퇴, 노후 준비 7개 기둥

2장
은퇴 준비를 위한 재테크 본질

평균 희망 은퇴 73세, 현실 은퇴 나이 49세!
100세 시대 언제까지 몸(노동)으로만
일해서 돈을 벌 것인가?

나이 제한 없는 방탄JOB기술력!

20,000명
심리 상담, 코칭 하면서 알게 된 90%가
잘못 알고 있는 재테크!

2장. 은퇴 준비를 위한 재테크 본질

★ 20,000명 심리 상담, 코칭 하면서 알게 된 90%가 잘못 알고 있는 재테크! 재테크 고,틀,선,편 깨기(고정관념, 틀, 선입견, 편견)

재테크란 보유한 자금을 효율적으로 운용하여 재산을 불리는 행위다. 90% 사람들이 자신 상황에 맞는 재테크를 하지 않고 대중매체, SNS, 주위 사람들 말에 3혹[유혹, 현혹, 화혹(화려함에 혹하다)]에 빠져 자신 주제(자산, 연봉, 대출...)에 오바 되는 재테크, 리스크 많은 재테크, 욕심(한방, 대박)재테크를 하여 문제가 생긴다.

현명한 재테크를 하기 위해서는 어떻게 해야 하는가?
다음은 금융감독원에서 현명한 재테크를 하기 위한 방향 제시를 해주는 내용이다.

현명한 금융 생활과 재무 생활을 하기 위해 도움을 받을 수 있는 금융감독원에서 나온 『생애주기별 금융 생활 가이드북』 금융감독원 금융교육센터에서 PDF를 무료로 받을 수 있고, 종이책으로 신청해도 받아볼 수 있다.

【결혼 전 금융관리 10원칙】

1. 빨리 종잣돈을 마련하라 : 큰 눈덩이로 시작해야, 더 빨리 커진다. 소액으로 위험 상품에 투자하기보다 일단 종잣돈을 꾸준히 모아라.

2. 선저축 후지출하라 : 월급 받고 쓰고 남은 돈을 저축해서는 절대로 돈을 모을 수 없다. 미혼기 때는 월급의 50% 이상 저축하라.

3. 통장은 쪼개어 관리하라 : 수입 통장, 지출 통장을 나눠서 관리해라, 적금 통장에는 '해외여행', '결혼자금' 등 목표를 적어라.

4. 체크카드를 사용하라 : 신용카드는 재테크의 적이다. 당장은 편하지만 충동구매를 막기 어렵다. 체크카드는 충동구매를 막고 매일 가계부를 쓰는 효과를 가져온다. 연말정산 때도 더 이득이다.

5. 소모성 대출은 최대한 피하라 : 불필요한 소모성 대출은 피하라. 마이너스 대출 쓰다 보면 마이너스 인생 전락의 위험성이 있다.

6. 신용을 관리하라 : 대출이자 상환이나 신용카드 대금 결제를 연체하고, 현금서비스를 많이 이용하면 신용이

하락한다. 나중에 돈 빌리기 힘들어지고, 이자도 높아진다.

7. 주식 직접투자는 신중하라 : 한방의 유혹에서 벗어나야 한다. 이 책에서도 여러 번 설명한 바와 같이 개인은 주식 직접투자에 대부분 실패한다.

8. 복리를 생각하라 : 기간 복리 효과를 누리려면 일찍 저축과 투자를 시작해야 한다. 젊었을 때 몇 년의 차이가 노후에 엄청난 차이를 만든다.

9. 노후를 준비하라 : 100세 시대, 은퇴 후 기간이 일하는 기간보다 길어진다. 새내기 직장인 때부터 노후 준비를 시작해야 한다.

10. 자기계발 게을리하지 마라 : 가장 중요한 투자는 자신에 대한 투자다. '내 몸값'을 올리는 것이 결국 평생 부자로 살 수 있는 가장 쉬운 길임을 명심하자.

【신혼기 및 자녀 출산기 금융관리 5원칙】
1. 먼저 저축하고 나머지를 지출하는 습관을 기르자. 자녀 태어나기 이전 신혼부부라면 미혼기와 마찬가지로 소득의 50% 이상 저축해야 한다.
2. 주택담보대출 이외의 빚은 모두 갚자.

자녀가 태어나면 돈 들어갈 곳 천지다. 그러나 그전에 생긴 빚은 그전에 모두 갚자. 고금리 대출이 있다면 정책금융의 저금리 상품(환승론, 햇살론, 전환 대출 등)을 활용하자.

3. 가족의 위험에 대비한 보장성 보험에 꼭 가입하자.
이제 더는 혼자가 아니므로 사망이나 질병, 사고에 대비한 보장성 보험을 들어놓아야 할 때다. 보험은 저축이 아니라 보장을 위한 상품임을 명심하자.

4. 은퇴를 위한 저축을 시작하자
출산, 양육, 주택 마련을 하다 보면 은퇴자금 준비가 소홀해지기 쉽다. 하지만 은퇴 대비 저축은 빠를수록 좋다.

5. 통장 나누기와 분산투자를 하자
저축과 투자 등 목표를 분명히 정해 통장을 나누자. 위험과 수익에 따라 적절한 분산투자도 필수다.

【자녀 학령기의 금융관리 5원칙】
1. 자녀의 교육자금 마련 계획을 세워 실천하자.
교육비 상승률이 물가 상승률을 웃돌아 왔다. 대학 갈 때까지 교육비는 계속 증가하므로, 적절한 계획에 따라 준비해야 한다.

2. 우리 아이에게 물려줄 수 있는 가장 큰 자산인 금융 이해력을 키워주자.

자녀에게 올바른 돈의 가치를 알게 하고, 용돈을 현명하게 지출하고 관리하는 습관을 길러주자. 자녀 이름으로 통장을 만들어 저축하는 습관을 길러주자.

3. 주택 거래, 피해를 보는 일이 없도록 하자.

자녀 학령기 때는 조금 더 큰 집으로 이사하거나 생애 첫 주택을 구입하는 경우가 많다. 재정적 준비와 함께 부동산 계약 시 기본적 법규도 파악해야 한다. 반드시 직접 방문해 물건을 확인하고, 계약 당사자가 적법한지 확인하자.

4. 신용 관리, 부채관리를 현명하게 하고 꾸준한 저축과 투자를 실천하자.

대출은 신중하게, 부채 규모는 상환에 무리가 없을 정도로만 하자, 물론 연체는 금물이다.

5. 은퇴 준비는 선택이 아닌 필수다.

은퇴 준비는 가족을 위한 필수 목표가 되어야 한다. 은퇴 필요 자금을 계산해 보고, 모아야 할 자금을 계산해 하루빨리 시작하자.

【자녀성년기 및 독립기의 금융관리 5원칙】

1. 자녀의 결혼자금은 자녀와 부모가 함께 준비하자.

자녀 부양하느라 본인 은퇴자금 다 잃으면 안 된다. 자녀 결혼자금은 자녀와 부모가 함께 준비하는 게 바람직하다.

2. 갑작스럽게 다가오는 위험에 대비해 비상 자금을 마련하고 보장성 보험을 다시 확인하자.

갑자기 소득이 사라진다면 본인과 가족의 미래가 위험하다. 질병이나 상해로 인해 소득이 중단될 수 있으므로 보장성 보험 가입을 확인하자.

3. 인생 이모작은 준비된 경우에만 성공할 수 있다.

무턱대고 하는 창업은 망하는 지름길이다. 자영업을 시작한다면 재능과 경험을 살리고 철저히 준비해야 한다.

4. 노후 자산을 늘리기 위해 연금을 쌓고 현명하게 투자하자.

노후 자금 마련을 위한 필요 자금을 계산하고, 위험 상황에 맞는 상품에 저축하고 투자해야 한다.

5. 다가오는 빈 둥지 시기를 재무적일 뿐 아니라 비재무적으로도 준비하자.

성년이 된 자녀가 가족을 떠날 때를 대비하자. 부부가 취미를 찾고, 건강하게 삶의 의미를 찾을 수 있는 준비도 해야 한다.

【은퇴기의 금융관리 3원칙】

1. 은퇴 후 정확한 재무 상태를 파악하고 경제 계획을 수립하자.

현재 자산과 부채 현황을 구체적으로 짚어보고 수익을 관리와 부채 부담을 최소화해야 한다.

일상 생활비와 의료비 등의 비상 자금을 구분해 두자.

2. 은퇴 후 경제생활을 위한 준비가 미흡할 경우 국가의 지원을 활용하자.

국민연금, 개인연금, 퇴직연금 등이 제대로 준비되지 않았다면, 기초연금이나 기초생활보장제도 맞춤형 급여체계 등의 도움을 받을 수 있다.

3. 금융 사기에 주의해 노후 자금을 안전하게 지키자.

노인 상대 금융사기 피해가 해마다 급증하고 있다. 금융 사기 유형과 예방 방법을 잘 살펴보자.

<네이버 블로그 자연주의 코코>

위에서 말하는 현명한 재테크하는 방향, 방법을 보면서 이런 생각이 들 것이다. "이론은 누가 몰라? 실질적인 재테크 방법을 어떻게 해야 되는 거지? 가진 것은 별로 없지만 많은 돈을 벌고 싶은데 한방에 재테크 잘하는 방법 없나?"라는 태도로 자신 주제 파악, 자신 재무 상태, 자신 스펙은 생각하지 않고 한방, 대박만 바라는 사람들이 90%라는 것이다.

90%가 이런 태도를 가지고 있으니 하루만에도 셀 수 없이 사기성 내용들이 많은 유튜브, 대중매체, SNS, 주위 사람들이 말하는 재테크, 영상, 글, 이미지... 등 돈 버는 방법들로부터 3혹[유혹, 현혹, 화혹(화려함에 혹하다)]에 빠져 3명 중 1명이 재테크 피해를 보고 있는 것이 현실이다.

20,000명 상담, 코칭 하면서 알게 된 것은 허위 재테크를 통해 돈을 손해 보는 것보다 정신적인 것에 충격을 받아 앞으로의 삶이 망가지는 경우가 많은 게 현실이다. 이런 환경에서 필자가 던언컨대 말하고 싶은 것은 재테크, 돈을 버는 것도 중요하지만 더 중요한 것은 자신에게 주어진 자산을 먼저 지킬 수 있는 방법이 선행되어야만 올바른 재테크, 현명한 재테크, 주제 파악 재테크, 3혹 당하지 않는 재테크를 할 수 있다는 것이다.

지금 시대는 돈버는 것보다 중요한 것이 돈을 지키는 방법을 먼저 배워야 한다. 사기가 판치는 재테크 시장에서 자신 자산을 어떻게 지키고 올바른 제테크를 할 것인가?

재테크 고.틀.선.편 깨기
(고정관념, 틀, 선입견, 편견)

재테크 잘하는 방법이 중요한 것이 아니다. 3명 중 1명이 재테크 사기 피해를 보는 상황에서 **사기성 내용들이 많은 유튜브, 대중매체, SNS, 주위 사람들 말하는 재테크, 영상, 글, 이미지... 등 돈 버는 방법들로부터** 3혹[유혹, 현혹, 화혹(화려함에 혹하다)]에 빠지지 않는 게 중요하다!

사기꾼들이 100% 문제가 있다. 하지만 시대 흐름, 환경을 인지하지 않고 아닐 하게 "법 테두리 안에서 법을 지키며 살면 인생은 행복할거야?"라는 착한아이컴플렉스 정신으로 사는 것도 문제가 있다. 법을 지키지 말라고 말하는 게 아니다. 법은 당연히 지켜야 한다. 하지만 법을 지키지 않는 사기꾼들로부터 자신 자산을 지키고 올바른 재테크를 하기 위해서는 시대 흐름을 알고 긴장하면서 재테크 학습, 연습, 훈련을 해야 한다고 말을 하는 것이다. 한마디로 5명 중 1명은 사기꾼이라는 말이 있듯이 재테크를 잘하려면 재테크 사기를 당하지 않는 학습, 연습, 훈련이 선행되어야 한다는 것이다.

다음은 "단군 이래 가장 돈 벌기 좋은 시대가 아닌 단군 이래 가장 사기당하기 쉬운 시대에 살고 있다!" 라는 말을 증명해주는 내용이다. 현실 상황을 알아야만 자신 자산을 지키고 올바른 재테크를 할 수 있다.

전직 판사도 사기당하는 대한민국?! 한국이 사기 범죄율 1위 국가가 된 이유! <신중권 변호사: 정신적 살인죄 '사기'>

128

사기 범죄율 1위, 대한민국
대한민국 범죄율 1위 '사기'
한국은 어쩌다 사기 범죄 1위 국가가 됐나?
사기 범죄율 1위 한국... 'ㅇㅇ'하면 당한다.

주변에 사기당한 사람이 있으신가요? 그렇게 많지 않은 것 같나요? 창피하고 속이 쓰려서 말하지 못할 뿐입니다. 심지어 자책감에 시달려 스스로 생을 마감하는 경우도 많습니다. 우리나라 형사 사건의 70%가 사기 사건일 정도로 오직하면 사기 공화국?! 말까지 있었겠습니까! 대한민국은 사기 공화국?! 왜 사기꾼들은 감옥에 다녀와도 사기를 계속 치는 걸까요? 첫 번째 이유! 초범이 거의 없는 사기꾼들 지은 죄에 비해 가벼운 형량! 피해 금액이 몇억 대가 되지 않는 이상은 형량이 그리 높지 않다. 두 번째 이유! 돈 벌기 쉽다. 쉽게 돈 벌었던 사람이 땀 흘려서 돈 버는 게 가능하겠습니까? 적응하지 못함!

<어쩌다 어른 신중권 변호사>
<사피엔스 스튜디오>

지옥문이 열리다 – 노년을 노리는 코인 다단계의 덫
■ 가상자산 투자로 노후 자금을 잃은 위기의 노년
74세 최현영(가명) 씨는 지인을 통해 'P코인' 투자 정보를 접했다. 당시 고정 수입이 없는 상태였던 최씨는 가상자산에 투자하면 평생 먹고살 걱정 없이 큰돈을 벌 수 있다는 말에 투자를 결심했다. 그리고 집을 판 1억여 원의 돈을 가상자산에 투자했다. 한때 투자한 P코인의 가격이 치솟으면서 하루에 수천만 원을 벌었다는 최씨, 그런데 코인 가격이 급락하면서 손에 쥐어 보지도 못한 전 재산을 잃어버렸다. 결국, 최씨는 살던 집을 잃고 거리로 내몰리는 신세로 전락했다.

60세 김동민(가명) 씨는 지인을 통해 'P코인'을 추천받았다. 'P코인'이 가상자산 거래소에 상장되면 투자한 돈의 몇 배를 벌 수 있다는 말에 솔깃한 그는 평생 모은 돈과 대출금을 합쳐 총 4억 5천여만 원을 투자했다. 하지만 상장된 코인이 한순간에 급락하자, 김동민씨는 매달 1천여만 원에 이르는 이자를 감당해야 하는 처지에 놓였다. 결국, 김씨는 가족과 함께 모텔 생활을 전전해야만 했다.

"자식한테 신세 안 지려고, 혼자 계신 어머니께 매달 10만 원씩이라도 보내드리려고 투자했어요. 그런데 지금 지옥 속에 살고 있어요"
  - 가상화폐 투자 피해자 김미영(가명)씨 인터뷰 中

"땀 흘려 벌어야 진짜 내 돈이다. 평생을 그렇게 알고 살았어요. 그런데 한순간에, 이렇게 나이 들어서 모든 걸 잃으니 진짜 아찔해요"
- 가상화폐 투자 피해자 권희은(가명)씨 인터뷰 中

■ 노년층을 파고든 가상자산 다단계
《시사직격》에 가상자산 피해를 호소하는 노년층의 제보가 전국에서 접수되고 있었다. 주식도 가상자산도 잘 몰랐던 그들은 어쩌다 코인 투자를 하게 된 것일까?

67세 황은정(가명) 씨는 지인의 소개로 가상자산 투자 설명회에 가게 됐다. 설명회에서 자신을 약사라고 소개한 사람이 'P코인'에 투자해 큰돈을 벌었다며, 투자를 권유했다고 한다. 그리고 수십 명에게 식사까지 대접하며 가상자산 투자로 든든한 노후를 설계했다고 자랑했다는 것이다. 약사라는 사회적 지위와 고수익을 보장받을 수 있다는 말을 믿은 황씨는 퇴직금 천만 원으로 가상자산에 투자했다. 그리고 황씨는 가족 등 지인에게도 P코인을 소개했다. 그런데, 코인 가격 급락 후 지인들의 항의가 빗발치기 시작했고, 황씨는 지인들과 함께 법원에 'P코인'을 발행한 해당 회사를 고소했다. 그리고 살던 집을 판 1억여 원의 돈으로 지인들의 피해액을 갚아 줬다고 한다. 그런데도 각종 빚 독촉에 시달리고 있다는 황씨, 자신의 인생 자체가 거짓말이 돼버렸다며 힘든 고

충을 털어놨다.

대장암 진단 후 요양병원을 전전하던 59세 임석현(가명) 씨는 간호사를 통해 'P코인'으로 면역항암제라는 NK세 포 치료를 받을 수 있다는 정보를 접했다. 임씨는 암 진 단금으로 투자를 했다고 한다. 그리고 투자자를 소개하 면 후원수당까지 받을 수 있어 지인들에게 'P코인'을 알 렸다고 한다. 이렇게 'P코인'사는 투자자가 새로운 투자 자를 모집할 때마다 수당을 지급하며 다단계 마케팅을 한 것이다. 피해자가 가해자로 둔갑하는 다단계 마케팅 의 함정, 《시사직격》은 'P코인'사의 중간 역할을 했던 센터장을 통해 실체를 파악했다.

"다단계 구조상 특정한 시기가 왔을 때 더 이상 매출이 없고, 지출만 발생하는 상황이 오게 됩니다.
그때 폭탄이 터지는 것처럼 하위층에 계신 분들이 다 피해를 보는 거죠."
– 한상준 변호사

■ 법의 사각지대에 있는 가상자산
대한민국 가상자산 투자자는 600만 명에 이른다. 그중, 1억 이상 투자하는 연령대는 40~60대로, 투자 금액을 분석한 결과 전체의 70%를 차지한다. 제작진이 만난 'P

코인' 업체 센터장은 법적 제재가 없는 가상자산을 이용해 다단계식으로 노년층을 모집했다고 증언했다. 이 사건을 수사 중인 경찰 측은 현재까지 확인된 'P코인' 투자자는 225명, 투자금액은 132억 원에 달한다고 밝혔다. 그러나, 다단계 특성상 전국적으로 수많은 사람들이 복잡하게 얽혀 있어 정확한 피해 규모 등 실체를 파악하기 힘든 실정이다.

《KBS1 시사직격》

SNS 투자사기…교묘한 덫 피하려면...

안녕하세요. 후스토리 박병일입니다.

지난 317회 뉴스토리에서는 최근 주식이나 부동산 열풍을 타고 번지는 다양한 sns 투자 사기들에 대해 전해드렸는데요. '당하는 사람이 바보지!' 라고 생각하시는 분들 계실 겁니다. 피해자들도 처음엔 그랬답니다.

박선미(가명)/사기 피해자

"사기를 왜 당하나 쉽게 돈 벌려고 저러다가 벌 받은 거지. 엄청나게 욕을 했거든요. 그런데 실제로 제가 그 주인공이 됐고 정말 죽고 싶은 생각이 너무너무 많이 들었고..."

그래서 오늘은 이런 sns 투자 사기들을 피하는 방법 짚어드리려 합니다.

Q. 우선 사기꾼들은 처음에 어떻게 접근할까요?
박진주(가명)/사기 피해자
저한테 접촉을 하는 사람들도 이름에 누구누구 맘, 건우맘, 진우맘, 해서 자기도 엄마다. 엄마인데, 부업을 해서 이만큼의 수익을 올리고 있다. 무슨 투자 카페나 인스타, 카톡 같은 sns를 통해 접근하는데 누구누구 엄마 아무게 맘이라면서 경계심을 풉니다.

권지은(가명)/사기 피해자
네, 진우맘 아기랑 같이 있는 사진들, 그러니까 의심은 전혀 없던 거였어요.

누구누구 엄마라는 거 다 가짜입니다. 다 한 패입니다. 이들 엄마가 유도한 사이트에 들어가 보면 다른 엄마들이 올려놓은 나 돈 벌었다. 하는 후기들로 도배질 돼 있습니다.

고영순(가명)/사기 피해자
저와 같은 주부들이 또 아이들 키우면서 학원비랑 이런 것들이 부족했는데 이런 재테크를 통해서 큰 도움을 받왔다. 수익 인증을 하는 사람들이 많았다. 오늘은 얼마 벌었어요. 오늘 얼마 벌었어요.

물론 이런 후기들 역시 사기꾼들이 파놓은 함정입니다. 그렇게 쉽게 돈 벌 수 있는 방법이 있다면 지네들이 하지 뭐 하러 남한테 알려주겠습니까? 그런데 말이죠. 전세자금이나 생활비가 필요한 주부들이 이런 것을 보게 되면 의심이 호기심으로 바뀝니다.

Q.어떻게 유혹하나?
sns를 통해 뭐냐고 물어보겠죠. 그럼, 사기꾼들 이렇게 답합니다.

우미영(가명)/사기 피해자
만약에 수익이 나지 않으면 원금은 다 보장을 해주겠다고 했어요.

고영순(가명)/사기 피해자
배당 값을 가지고 있는 거기 때문에 이미 정답을 알고 매매를 하는 거기 때문에 원금 손실의 위험이 전혀 없고...

'원금 보장'된다. 알고리즘을 알고 있어 무조건 딴다. 설탕물을 쫙 뿌립니다. 게다가 사람의 마음을 조리게끔 하는 밀당의 기술이 보통이 아닙니다.

"정작 빨리하세요. 하지 않아요. 오히려 제가 조금 생각을 해본다고 하면 충분히 생각하시라고..."

이런 낚시질에도 걸려들지 않으면 전문가까지 동원합니다.

우미영(가명)/사기 피해자
청년 기업들 투자를 해주고 하는 사람이더라고요. 그래서 "이 사람이라서 이렇게 투자에 대해서 문자가 왔나 보다" 그렇게 생각을 했거든요.

투자 전문가 실제로 인터넷으로 검색해 보면 유명한 투자자입니다. 하지만 사실은 사기꾼들이 SNS에서 사진을 도용한 겁니다. 주부들이 인터넷으로 검색까지는 해보더라도 실제로 전화까지 해서 확인하지는 않는다. 이런 점을 파고든 겁니다. "이쯤 되면 주부들 속는 셈 치고 한번 투자해 볼까? 생각하게 됩니다." 시험 삼아서 50만 원에서 100만 원 정도 투자를 하게 됩니다. 그게 주식 투자일 수도 있고요. 온라인 카지노일 수도 있고 선물 옵션일 수도 있고 미국 로또일 수도 있습니다. 사기범들이 쓰는 수법 다양합니다. 그런데 공통점이 하나 있어요. 사기꾼들이 자기네 법인 계좌에 돈이 입금이 되면. 입금을 하라. 이렇게 해서 입금이 되면 자기네 프로그램을 다운받아라. 이렇게 지시한다는 겁니다.

Q.프로그램을 다운받아라?
그런데 다운받고 보면요. 이 프로그램 정말 그럴듯합니다. 프로그램 상에 투자 금액도 그대로 자기가 넣은 금액 그대로 적혀 있습니다. 주부들이 믿을 수밖에 없겠죠. 그런데 이건 그냥 숫자일 뿐이고요. 이미 사기꾼들 주머니 속에 돈이 들어간 뒤입니다.

김상길/홈 트레이딩 시스템 개발자
가짜예요. 그러니까 내 돈이 들어가지 않는 가상 숫자. 주가 숫자만 연동이 되고 나머지 금액이라든지 이런 거는 자기네들 설정한 대로 되는 거죠.

그런데 피해자들은 처음에 의심 반 호기심 반으로 50만 원에서 100만 원 정도 입금한다고 했는데 피해자들은 왜 이렇게 수천만 원의 피해를 입게 되는 걸까요? 어떤 종류의 투자 사기냐에 따라서 다르겠지만요. 공통점은 큰 수익이 나온 것처럼 프로그램상에 허위 금액을 적어서 흥분하게 만든 뒤에 피해자들에게 추가 입금을 요구

한다는 겁니다.

우미영(가명)/사기 피해자
8천 만 원 계좌에 쓰여 있어요. 이렇게 눈에 보이잖아요. 수수료 20%로 입금을 해줘야지 환급이 된다. 그래서 1600만 원을 아침에 제가 입금을 했고요.

이렇게 수수료라면서 돈을 받아 챙기기도 하고요. 또 그 간에 거래 내역이 없어서 출금이 안 된다. 라면서 추가 입금을 요구하기도 합니다.

권지은(가명)/사기 피해자
한 15분 정도 있다가 10배 수익금이 나대요. 그럼 500이 된 거잖아요. '에러가 났다.' 그러면서 처음 가입하고 처음 하신 분인데 내역이 없기 때문에 300만 원을 입금을 해야 된다는 거예요.

그런데 말이죠. 이렇게 추가 입금을 하게 되면 피해자들에게 어떤 구실을 대서건 또 돈을 넣게끔 만듭니다. 피해자들 의심할 틈도 없이 계속 말려들게 됩니다.

중간에 이거 좀 이상하다? 이거 좀, 이상한데? 이런 생각을 전혀 안 하셨나요?

권지은(가명)/사기 피해자
이상하다고 생각하긴 했는데 그래도 돈이 들어간 것도 있고 계속 믿게끔 해주니까...

박진주(가명)/사기 피해자
정신이 나가 있는 상태인 거예요. 왜냐면 내 생돈이 계속 들어가고 나는 그걸 빨리 빼야 하는 생각만 하지 어떤 사리 분별이 잘 안되는 상황이 돼버리는 거예요.

Q. 사기꾼들, 왜 못 잡나?
피해자들은 한결같이 sns로만 대화했습니다. 누구누구맘 투자 전문가 그리고 사이트 운영자 등이 모두 한패라는 것을 모르는 채 말이죠. 나중에야 당했다는 것을 알게 되지만 만난 적도 전화 통화한 적도 없으니 사기꾼들을 특정할 수 없게 되는 겁니다. 뒤늦게 경찰서에 가서 신고하지만, 허망한 대답만 듣게 될 뿐입니다.

고명순(가명)/사기 피해자
신고하러 갔더니 경찰도 찾을 수 없다고 '사기꾼들은 다 외국에 있기 때문에 못 찾는 거 아시죠? 그냥 잊고 사세요!'라고 노력은 하겠지만 기대는 하지 말라고...

이런 sns 투자사기는 처음부터 발을 담그지 않는 게 최선입니다. 처음에 시험 삼아 소액 투자를 했더라도 큰 수익이 났다. 추가 입금을 해라 이런 요구를 듣는다면 이건 사기니까. 거기서 포기하고 중단해야 더 큰 피해를 막을 수 있습니다. 지금까지 후스토리였습니다. 감사합니다.

<SBS 뉴스 후스토리>

대한민국에서 사기당하지 않으면 똑똑한 사람이다.
사기 공화국, 대한민국의 민낯
<김도우 경남대학교 법정대학 경찰학과 교수>
코로나19 감염확산이 기승한 지난 2년 동안 대한민국에서 발생하는 사기 사건은 평균 32만 건이 넘고 있다.
이는 전체 범죄 중 20%에 육박하는 수준으로 과거 세계보건기구(WHO)도 한국의 사기 범죄 발생지수를 OECD 37개 국가 중 가장 높은 것으로 평가한 적이 있다.

사기꾼이 판을 치는 대한민국의 양상을 빗대어 일찍이 김주덕 변호사는 '사기공화국에서 살아남기'라는 자신의 저서 통해 위험을 알린바 있다. 그럼에도 불구하고 '사기 범죄'가 판치기 좋은 환경"이라는 오명을 씻지 못하고 연간 사기 범죄의 발생 건수가 가파르게 증가함과 동시에 피해자의 극단적 선택마저 발생하고 있다.

최근 사기 수법이 점점 교묘해지고, 규모도 커지고 있다. 피해 대상도 성인뿐만 아니라 노인이나 아이를 대상으로 한 사기도 발생하고 있고, 퇴직자, 취업준비생 등 경제적 취약계층을 향한 사기 피해도 발생하고 있다.

게다가 코로나19로 인한 비대면 상황이 지속되면서 모바일을 통한 전자상거래 및 금융거래가 증가하면서 정부가 지원하는 재난지원금과 정부지원대출 등을 빙자해 현금인출이나 계좌이체를 요구하는 피싱이나, 지자체나 질병관리본부 등에서 코로나 관리를 위하여 자주 발송되고 있는 안내 문자와 유사한 내용으로 속여 수신자가 악성코드가 심어진 문자 내 링크를 클릭하도록 유도하는 스미싱, 심지어 최근에는 가상화폐 거래소를 해킹해 금전적인 이득을 취하는 등 새로운 수법도 등장하고 있다.

여기에 더해 오픈뱅킹의 이용은 단 한 개의 계좌정보만으로 비대면으로 대출받고, 보험까지 해지하는 등 사실상 전 재산을 탈취할 수도 있게 됐다. 더 심각한 것은 그 피해회복에 있다. 피해자들은 사기꾼이 잡힌다고 해도 피해액을 돌려받을 가능성이 매우 희박하다.
통상적으로 피해자들은 민사 절차를 통해 피해구제를 신청한다. 문제는 민사재판을 통해 피해를 구제받으려면 사기 피해자가 직접 그 증거를 입증해야 한다는 점이다. 하지만 수사기관도 아닌 개인이 관련 증거를 확보하기는 어려워 현실적인 구제책이 되지 못한다.

형사절차 단계에서 피해 복구를 위해 '형사 배상 신청 제도'와 '부패재산몰수법'이 있지만 피해액에 대한 심리가 길어져 자칫 사법 정의를 훼손할 우려에서 법원에서 거의 받아들여지지 않고 있다.

사기 공화국, 대한민국의 민낯은 여기서 끝나지 않는다. 사기 범죄자의 재범률은 40% 가까이로 다른 범죄에 비해 압도적으로 높다. 여기에는 사기죄에 대한 국가의 솜방망이 처벌이 한몫하고 있다. 사실상 사기관련 고소가 워낙 많이 발생해 수사당국은 피해액 1억 원 미만일 경우, 원칙적으로 구속수사를 하지 않고 있다.

법원의 형량도 최대 형량이 징역 10년 혹은 2,000만 원의 벌금이지만 양형기준을 보면 빼돌린 금액이 50억원 이상은 되어야 징역 5년 이상을 선고한다.

결과적으로 사기꾼들은 사기죄로 잡히더라도 피해자와 합의하는 등으로 가벼운 처벌을 경험한 후 다시 사기 범죄에 가담하게 되는 것이다.

범죄경제학자 베커는 합리적 선택이론에 기초해 '범죄행위에 상응하는 처벌'이 존재할 때 '범죄행위를 중단 또는 방지'할 수 있다고 주장했다.

사기 공화국으로 오명 씌워진 대한민국은 현재 사기꾼들이 활동하기 그지없는 천국 같은 환경은 만들어 주고 있으면서, 정작 이를 방지하기 위한 법제도적 장치는 20여 년이 지난 지금도 무용지물이 되고 있다.

경제불황기에 벌어지는 사기의 대부분은 취약계층을 상대로 하는 생계형 사기일 가능성이 높다. 장기적인 경제불황이 예상되는 이때 젊은이나 고령자 등 경제적 취약계층들이 사기 피해를 당해 고통을 받게 된다면 우리 사회의 신뢰도는 추락할 것이며 그에 따른 다양한 부작용을 우리 사회가 감당해야 할 것이다.

사기 공화국의 민낯을 지우기 위해서는 사기죄를 방지하는 최소한의 방지턱이라도 갖춰야 한다.

《사기 공화국에서 살아남기》

2023년 대한민국 현실 속 앞으로 재테크 사기가 더하면 더했지 덜하지는 않는다. 재테크를 빙자한 사기가 판을 친다는 것을 깨닫게 해주는 재테크 상황이다. 이런 상황에서 "재테크는 이렇게 해야 된다."가 아니라 "재테크를 하려면 우선 재테크 사기를 조심하기 위해서 재테크 사기 피해 방지 학습, 연습, 훈련을 해야 된다."라는 것이 더 중요하다는 것이다.

하지만 현실은 어떤가 유튜브, 대중매체, SNS, 주위 사람들이 3혹[유혹, 현혹, 화혹(화려함에 혹하다)]을 시킨다. 이런 상황, 환경 속에서 어떻게 하면 재테크 사기를 예방하기 위해서 준비하고 자신 자산을 지키면서 리스트 적은 재테크를 할 수 있을까?

지금부터 세상에서 가장 리스트가 적고 재테크 사기를 예방 할 수 있으며 100년 지속 할 수 있는 재테크를 알려주겠다. 집중! 집중! 집중!

방탄 재테크

대한민국 사기 범죄율 1위 5명 중 1명은 사기꾼이다!
3명 중 1명이 재테크 사기를 당하는 현실!

재테크를 잘하기 전에 선행해야 할 것이
재테크 사기를 예방하고
먼저 자신 자산을 지키는 현명한 방탄 재테크를 해야 한다!

"최고의 공격은 방어다."라는 말이 있다. 한마디로 방탄 재테크를 해야 한다.

20,000명 심리 상담, 코칭 하면서 알게 된 것은 사기 당하는 사람들 90%가 믿었던 사람들에게 사기를 당했다고 한다. 그래서 코칭 할 때 극단적인 말로 가족도 믿지 말라는 말을 종종 한다. 가족도 믿지 못하는 사회라는 것을 말한다는 게 너무 안타까운 현실이라는 것이다.

앞에서 재테크 사기 사례들을 보면 대부분 사람들이 이런 말을 한다. "어떻게 똑똑한 사람들이 그걸 당해? 나 같으면 절대 당하지 않겠다." 재테크 사기당한 사람들 99%가 그런 말을 했던 사람들이다. 아이러니 하지 않는가? 재테크 사기당했던 사람들이 보이스피싱 당했던 사람들 또한 사기당한 사람들을 보면서 그런 말을 했는데 사기를 당한다. 단순하게 말을 하면 사기꾼들이 대단하다는 것이다. "멍청하면 사기도 못 친다." 이런 말이 그냥 나온 말이 아니라는 것이다.

20,000명 심리 상담, 코칭 하면서 알게 된 것은 재테크 사기, 보이스피싱... 등에 사기 피해를 입는 사람들 특징

이 있다는 것이다. 필자가 법에 종사하는 사람은 아니지만 필자도 몇 천만 원 사기당하고 돈 보다 중요한 젊은 나이에 소중하고 귀한 시간을 낭비해 봤던 경험과 20,000명 심리 상담, 코칭 경력으로 감히 말을 한다면 사기 피해를 입는 사람들 특징이 자존감, 멘탈이 낮고 사기 피해를 입을 수 있는 습관을 평상시 가지고 있으며 자신, 자신 분야 자기계발을 소홀히 했다는 것이다. 행복률 또한 낮아서 발생한다는 것이다.

다음은 왜? 자존감, 멘탈, 습관, 행복, 자기계발을 평상시에 학습, 연습, 훈련하지 않으면 재테크 사기, 보이스피싱… 등 사기 피해를 많이 당할까? 의문점을 깨닫게 해주는 내용이다.

20,000명 심리 상담, 코칭으로 알게 된 사기 피해 잘 보는 사람들 특징!

1. 자존감 낮은 사람.
자존감이 낮은 사람들 특징이 착한아이 컴플렉스를 가지고 있는 경우가 많다. 그래서 주위 사람들 말하는 것에 거절을 잘 못하고 어느 정도 믿음이 있다고 판단하면 상대방이 잘해주면 말하는 것을 있는 그대로 다 믿는다. 그래서 피해를 당한다.

2. 멘탈이 낮은 사람.

멘탈이 낮으면 거절을 잘 못해서 시키는 대로 하다가 사기꾼에게 빠져든다. 콤플렉스, 열등감, 자격지심이 있어서 멋져 보이고 잘 나가 보이는 사람들 말을 잘 믿는다. 상황 판단력이 부족하다.

3. 사기당하는 습관을 가지고 있는 사람.

단호하고 냉정하지 못하는 습관

거절 잘 못하는 습관.

귀가 얇은 습관.

결정 장애 습관.

감정 기복이 심한 습관.

한방, 대박을 바라는 습관.

모든 것을 돈돈돈돈돈으로 보는 습관.

말할 때 마다 돈돈돈돈돈으로 시작해서 돈으로 끝나는 습관.

돈에 집착하는 습관.

하는 행동이 만만하게 보이는 습관.

시기, 질투, 불만 습관

조금만 잘해줘도 간, 쓸개 다 빼주려는 습관.

오지랖이 많은 습관

자기 관리를 하지 않는 습관

자기계발을 하지 않는 습관

너무 착하게만 행동하는 습관

.

.

많은 것이 있지만 한마디로 정리를 하면 사기꾼들이 좋아하는 사람, 사기꾼들이 싫어하는 사람이 있다. 말, 표정, 행동이 당당해 보이지 않고 만만해 보이면 사기 피해를 입을 확률이 90%라는 것이고 사기꾼들이 가장 좋아한다.

4. 행복률이 낮은 사람.

행복률이 낮으면 자신 행복률을 채우기 위해 세상, 현실, 주위 사람들이 말하는 행복의 기준인 돈에 집착하게 만든다는 것이다. 돈 많이 번다는 재테크에 혹하게 되는 것이다. 그래서 행복률을 높이기 위한 학습, 연습, 훈련해야 된다고 강조하는 것이다.

5. 자기계발을 하지 않는 사람.

자기계발이 무엇인가? 자신, 자신 분야를 어제보다 나은 사람이 되기 위해 어제보다 0.1% 성장시켜 자신 가치, 몸값을 올려 자신 분야, 인생에서 필요한 사람이 되는 것이다. 자기계발을 제대로 하지 않는 사람들은 자신의 성장에는 관심이 없고 오로지 돈만 있으면 된다는 태도로 한방, 대박만을 바라게 된다는 것이다. 사기꾼들이 사기 치기 가장 좋은 사람들이 한방, 대박을 좋아하는 사람들이다. 자기계발을 잘하는 사람들은 목표, 방향이 있다. 아무리 화려한 것을 보더라도 가야 할 길이 분명하게 있는 사람들은 3혹 되지 않는다.

자존감, 멘탈, 습관, 행복, 자기계발을 평상시에 학습, 연습, 훈련 잘한다고 사기 피해를 안 당하지는 않는다. 하지만 3명 중 1명 사기당하는 현실에서 자존감, 멘탈, 습관, 행복, 자기계발을 평상시에 학습, 연습, 훈련 잘하는 사람들은 사기를 최소화하고 사기 피해를 보더라도 스스로 케어를 하여 빠른 시일에 정상생활을 한다.

재테크 사기당하는 것도 큰일이지만 사기 피해 입은 후 정신을 가다듬고 정상생활을 할 수 있는 정신상태로 돌아오지 못하는 게 더 큰 문제다. 오해하지 말고 들어라. 악담하는 게 아니다. 누구도 피할 수 없는 재테크 사기, 보이스피싱... 등 살면서 더 큰일을 당할 수 도 있다. 그게 인생이다. 태어나면 누구에게나 주어진 고난, 역경, 불행 할당량을 피할 수는 없다. 힘든 상황을 이기내고, 극복할 수 있는 것이 자존감, 멘탈, 습관, 행복, 자기계발 학습, 연습, 훈련이라는 것이다. 그래서 세계에서 리스크가 가장 적고 재테크 사기 피해를 예방하고 사기 피해를 당하더라도 빨리 극복할 수 있는 것이 자존감 재테크, 멘탈 재테크, 습관 재테크, 행복 재테크, 자기계발 재테크라고 말을 하는 것이다.

한번은 식(식물)테크, 꽃테크 하는 사람을 상담한 적이 있었다. 이런 저런 내용으로 상담을 하다가 자신이 식(식물)테크, 꽃테크를 처음 관리하는 상황에서 식물, 꽃이 겉보기는 이상이 없어 보이는 데 점점 시들어 간다는 것이다. 그러다 우연히 뿌리를 보게 되었는데 뿌리가 썩어가고 있었던 것을 알았다고 한다.

보이는 화려한 것에 집착을 하다 보니 정작 가장 중요한 뿌리가 죽어가고 있었는데 그 것을 뒤늦게 알았다는 것이다. 그 뒤로 어떤 일을 하더라도 겉모습보다는 뿌리(기본, 본질)에 집중을 한다고 한다.

식테크, 꽃테크 상담 사례처럼 90% 사람들이 유튜브, 대중매체, SNS, 주위 사람들에게 3혹을 당해서 돈, 한방, 대박이라는 겉모습에 집착하는 현실이다.

3혹 되지 않고 뿌리(재테크 기본, 재테크 본질)에 집중할 수 있게 하는 것이 자존감 재테크, 멘탈 재테크, 습관 재테크, 행복 재테크, 자기계발 재테크라는 것이다.

리더는 더더욱 모든 재테크의 기본, 본질인 자존감 재테크, 멘탈 재테크, 습관 재테크, 행복 재테크, 자기개발 재테크, 코칭 재테크를 학습, 연습, 훈련해야 한다.

재테크 사기꾼만 조심한다고 되는 게 아니다. 도움이 될 거 같은 재테크 안목, 리스크가 적은 재테크를 보는 안목, 사기꾼인지 아닌지 보는 안목이 없는데 어떻게 새로운 사람들과 관계를 맺어 재테크를 잘 할 것인가? 유명하고, 인지도 있는 사람들이 사기치는 세상이다 보니 더더욱 재테크가 힘든 것이다.

이런 현실이다 보니 제대로 된 전문가를 찾기가 쉽지 않기에 코칭 받는 사람들을 필자가 세계 최강 책임감인 150년 a/s, 관리, 피드백을 해준다는 것이다. 당신이 그토록 찾던 방탄 리더 재테크 멘토가 되어 준다는 것이다.

방탄 리더 재테크 잘하는 첫 번째 방법!
"지인 5명 중 사기꾼이 1명 있다."라는 태도로 긴장하고 늘 경계하자. 아무나 만나지 말라. 철저하게 도움이 되는 사람을 만나라! 나에게 부정적인 영향을 주는 사람이 아닌 긍정적이고 도움이 되고 나를 성장 시켜주는 사람을 철저하게 만나라. 그리기 위해서는 사람을 보는 안목 학습, 연습, 훈련을 해라.

방탄 리더 재테크 잘하는 두 번째 방법!
150년 a/s, 관리, 피드백을 해주는 전문가를 찾자!

방탄 리더 재테크 잘하는 세 번째 방법!
www.방탄자기계발사관학교.ccom 에서 코칭을 받자!
재테크도 스펙이다! 시스템 안에서 학습, 연습, 훈련해야
된다.

방탄 리더 재테크! 7단계 시스템! 1.리더 재테크 본질,
2.리더 자존감 재테크, 3.리더 멘탈 재테크, 4.리더 습관
재테크, 5.리더 행복 재테크, 6.리더 자기계발 재테크,
7.리더 코칭 재테크.

어떤 사람도 말하지 못한 방탄 리더 재테크!
어떤 영상에서도 말하지 못한 방탄 리더 재테크!
어떤 책에서도 말하지 못한 방탄 리더 재테크!

시작하자! 해보자! 해보자! 지금부터 해보자! 집중!

세계인구 80억 명 80억 개의 재테크 사람이 하는 모든 것은 재테크다!

은행테크, 부동산테크, 펀드테크, 가상화폐테크, 주식테크, 명품테크, 아트테크, 식(식물)테크, 사(사랑)테크, 부(부부사랑)테크, 인(인간관계테크, 건(건강)테크, 꾸(꾸준함)테크, 성(성실함)테크, 인(인성)테크, 견(강아지)테크, 효(효도)테크, 자(자녀)테크...

수많은 재테크 중에 리더는 모든 재테크의 기본, 본질인 리더십 테크, 자존감 재테크, 멘탈 재테크, 습관 재테크, 행복 재테크, 자기계발 재테크, 코칭 재테크를 가장 먼저 학습, 연습, 훈련해야 한다.

평균 희망 은퇴 73세, 현실 은퇴 나이 49세! 100세 시대 언제까지 몸(노동)으로만 일해서 돈을 벌 것인가?

세상, 현실 기준에서 스펙, 돈, 인맥, 자산 등이 없어서 100세까지 노동을 해야 되고 몸까지 아프면 더 답이 없는 상황! 젊을 때는 100가지 중 99가지를 할 수 있지만 나이 들면 100가지 중 99가지를 할 수 없다. 3고 시대, AI 시대, 챗GPT 시대에 자신의 직업이 사라 질 수 있는 상황에서 어떻게 준비, 대비할 것인가?

 방탄JOB기술력 선택이 아닌 필수!

★★★★★
ONLY ONE
방탄JOB
기술력

한 분야 전문성으로 힘든 시대다. 이제는 포트폴리오 커리어 시대다. (포트폴리오 커리어: 한 분야 전문성 외 다수에 전문성이 있는 사람) 자신 경력을 왜 썩히고 있는가! 자신 경력을 활용해서 6가지 수입을 발생시킬 수 있는 방탄JOB기술력! 언제까지 몸(노동)으로 일할 것인가? 자신 경력이 일하게 하자! 자신 콘텐츠가 일하게 하자! 시스템이 일하게 하자!

★ ★ ★ ★ ★

직장은 자신 인생을 책임져 주지 않지만
방탄JOB기술력은 자신 인생을 책임져 준다.
직장은 자신을 배신하지만
방탄JOB기술력은 자신을 배신하지 않는다.

★ ★ ★ ★ ★
ONLY ONE

방탄JOB
기술력

3장
나이 제한 없이 할 수 있는 6가지 JOB

평균 희망 은퇴 73세, 현실 은퇴 나이 49세!
100세 시대 언제까지 몸(노동)으로만
일해서 돈을 벌 것인가?

나이 제한 없는 방탄JOB기술력!

방탄JOB기술력으로
자신 분야 6가지 수입 연결

▶ 방탄JOB기술력으로 자신 분야 6가지 수입 연결. 누구나 움직이지 않아도 노동을 하지 않아도 돈을 버는 시스템을 바란다.

움직이지 않아도 노동을 하지 않아도 돈이 들어오는 시스템을 만들 수 있다면?
여행 중에도 돈이 들어오는 시스템?
쉬는 동안에도 돈이 들어오는 시스템?
직원이 없어도 돈이 들어오는 시스템?
사무실이 없고 사무실 임대료 걱정 없이 돈이 들어오는 시스템? ....

숨만 쉬어도 기본 한 달에 200~300만 원이 지출 되는 3고 시대에서 숨만 쉬어도 돈이 매월 자동으로 들어온다면? 연금처럼 매월 돈이 나오는 시스템? 건물주처럼 월세가 매월 나오는 시스템?

자동으로 한 달에 100만 원을 벌 수 있는 시스템을 만든다면 3억짜리 건물을 가지고 있는 건물주다.
자동으로 한 달에 50만 원을 벌 수 있는 시스템을 만든다면 1억 5천만 원짜리 건물을 가지고 있는 건물주다.

자동으로 한 달에 10만 원을 벌 수 있는 시스템을 만든다면 3천만 원짜리 건물을 가지고 있는 건물주다.
자동으로 한 달에 1만 원을 벌 수 있는 시스템을 만든다면 300만 원짜리 건물을 가지고 있는 건물주다.

순간 이런 생각이 드는 사람도 있을 것이다.
"최소 매월 100이상은 나와야 그래도 쓸만한 시스템(건물)이라고 말을 하죠. 지금 3고 시대에 10만 원? 1만 원? 솔직히 안 벌고 말죠."라는 말을 하며 표면적인 것만으로 판단을 한다.

당연히 액수만 보면 매월 1만 원, 5만 원, 10만 원... 얼마 되지 않는다. 단순하게 생각을 해보자. 한번 물어보겠다.

"당신은 노동을 하지 않았는데 매월 십 원 하나 통장에 들어오는 게 있는가? "
"당신은 노동을 하지 않았는데 매월 1만 원이 통장에 들어오는 시스템이 있는가?"

"없으면서 십 원을 무시하는가? 1만 원을 무시하는가? 무슨 자격으로 무시하는가? 그런 말을 할 자격이 있다고 생각하는가? 한 달에 1,000만 원씩 벌고 있으면서 그런 말을 하는가?"

오해하지 말고 들었으면 한다. 위와 같은 생각을 했던 사람들을 무시하는 것이 아니라 노동하지 않아도 벌 수 있는 시스템을 제대로 알지 못하는 사람들의 생각을 체크해 주는 것이다. 당연히 무시하는 의도로 말하진 않았을 것이고 3고 시대다 보니 현실적으로 말을 했을 거라 생각한다.

자신이 세상, 현실 기준에서 스펙, 돈, 인맥, 자산... 등이 없는 상황, 100세까지 노동을 해야 되는 답이 없는 상황에서 월세, 연금처럼 자동으로 1만 원이라도 나오는 시스템을 가지고 있다는 것이 엄청난 것임을 느끼지 못한다면 당신은 인생, 현실 돈 공부가 턱없이 부족한 상태고 당신의 미래 자산 주머니는 미래를 가보지 않아도 어둡다는 것이 보인다.

1만 원이 나오는 시스템의 시작이 100만 원, 300만 원, 500만 원, 1,000만 원이 나오는 시스템을 만들 수 있는 것이다. 가지고 있는 것이 아무것도 없는 상황에서 매월 100만 원 나오는 시스템을 누가 권유한다면 사기꾼일 확률이 1,000%다. 가진 게 많은 사람들이 사기당할 거 같은가? 아니다. 가진 것이 없는 사람들이 자신 주제에 맞지 않고 올 수 없는 정보, 권유가 오기에 판단력이 흐려져 사기당하는 것이다. 사기꾼들이 가장 많이 하는 말이 '무조건 돈 번다'라는 말이다. 정신 바짝 차려야 한다. 그 누구도 믿지 말고 의심해야 한다. 가족도 의심해라! 친구는 더 의심해라! 의심하고 또 의심해라!

2024년 대한민국 현실은 5명 중 1명이 사기꾼이고 3혹[유혹, 현혹, 화혹(화려함에 혹하다)]에 빠져 3명 중 1명중 한명이 사기 당한다. 대검찰청에 따르면 연간 136만 건 범죄 중 가장 많이 발생하는 범죄가 1위는 사기다. 수입 인증, 통장 인증하는 사람들 90%는 "믿음을 줘야 크게 한탕을 칠 수 있다."라는 심리가 있다. 수입 인증, 통장 인증하는 사람들이 다 사기꾼은 아니다. 하지만 단언컨대 사기꾼들은 수입 인증, 통장 인증을 한다는 것을 명심하자!

노벨상 받은 사람, 하버드 대학교 교수, 은퇴 전문가, 노후 전문가들 1,000명 이면 1,000명이 말하는 것이 최고의 은퇴 준비, 노후 준비는 100세까지 현역을 하는 것이다.

100세까지 현역이라는 말이 무슨 말인가?
100세까지 노동을 죽어라 하라는 것이 아니다. 나이에 맞는 일을 해야 한다는 것이다. 100세까지 돈을 벌수 있는 시스템을 만들어야 된다는 것이다.

움직여서 돈을 벌 수 있는 것은 한계가 있기에 움직이지 않아도 돈을 벌 수 있는 시스템을 만들어야 된다. 하나이가 들면 들수록 돈을 벌수 있는 일들이 극소수가 되어간다.

젊었을 때는 1,000가지 직업 중에 전문직 빼고는 90% 직업을 할 수 있었지만 나이가 들면 반대로 1,000가지 직업 중에 90%는 할 수 없는 것이 되고 극소수만 10% 직업을 유지 한다. 그것도 일반 사람들에게는 사짜 직업

외에는 더 극소수만 일을 할 것이다. 이런 현실이 앞으로 더 하면 더 했지 덜하지는 않는다. 이런 현실 속에서 지금까지 경험하고 쌓았던 경력으로 배운 지식을 연결해서 월세처럼 돈을 벌고 100세까지 현역을 유지할 수 있다면? 하겠는가? 무엇이든 보장은 없다. 가능성이 얼마만큼 높은가에 따라 달라지는 것이다.

방탄JOB기술력 시스템을 배우면 "자신 분야로 매월 1,000만 원을 벌수 있다?"라는 말을 하는 게 아니다.

방탄book기술력 시스템을 통해 자신 분야 삼성(진정성, 전문성, 신뢰성)을 높여 움직이지 않아도 노동하지 않아도 지속적인(100세)수입을 발생 시키고 100세까지 현역으로 살 수 있는 인생을 알려주는 시스템이다.

방탄JOB기술력 시스템이라는 도구를 가지고 어떻게 활용을 하느냐에 따라 달라지는 것이지 '무조건 돈 번다'가 아니다.

자신 인생, 자신 분야를 터닝포인트 해줄 방탄JOB기술력을 접목해서 나다운 시스템을 만들길 바란다.
시스템을 만들 수 없다면 만들어진 시스템 안으로 들어가면 된다.

방탄JOB기술력(6가지 수입을 창출) 시스템의 핵심은 일반 사람이 습득하는 기술력이 아니라 리더급이 습득하는 기술력이다. 누구나 방탄JOB기술력을 배울 수 있지만 아무나 지속하지 못한다. 그 만큼 수준이 높은 방탄JOB기술력이다 보니 일반 사람들도 배울 수는 있지만 리더들이 배우길 추천한다.

지금 시대는 은퇴 나이가 점점 더 빨라지고 있다. 통계청에 의하면 희망퇴직 73세이고 은퇴 현실은 49세다. 권고사직, 명예퇴직 10명 중 4명은 자신의 뜻과 상관없이 그만둔다. 평균 은퇴 나이 49세다. 앞으로 은퇴 나이가 더 낮아지는 상황에서 20대는 은퇴 예정자? 30대는 은퇴 확정자? 40대는 은퇴 위험군? 은퇴 준비는 빠를수록 좋다는 것이다.

3고 시대, AI 시대, 챗 GPT 시대... 이제는 한 분야 전문성으로는 힘든 시대다. 이제는 리더도 포트폴리오 커리어 리더(한 분야 전문성이 있는 것이 아닌 다수에 전문성이 있는 사람)가 되어야 한다. 다음으로 나오는 포트폴리오 커리어 개념을 참고하자.

한 분야 전문성으로는 힘든 시대! 앞으로 포트폴리오 커리어 시대에는 포트폴리오 커리어 인재만 살아남는다!

1970년대 인재, 1980년대 인재, 1990년 대 인재, 2000년 대 인재, 2010년 대 인재... 2010년 대부터 인재상이 580도로 확 달라졌다. 그 이유는 스마트폰이 보급화되어 빠른 기술 변화로 인해 이전 세대와 차원이 다른 인재로 업그레이드되었다는 것이다. 하지만 많은 리더들이 시대에 맞는 인재상이 아닌 이전 세대에 인재상으로 리더십을 발휘하니 인재가 오래 버티지 못하는 것이다. 인재상도 시대에 맞게 업데이트해야 한다.

지금 시대는 포트폴리오 커리어 인재라고 한다. 다음은 포트폴리오 커리어 인재가 어떤 인재인지 깨닫게 해주는 내용이다.

포트폴리오 커리어 시대
'포트폴리오 커리어의 시대'는 세계 최고의 경영사상가 찰스 핸디가 이미 오래전에 예측한 바 있다. 그는 포트폴리오 커리어의 시대에는 대부분의 생활이 일에 포함된다고 본다.
2가지 또는 그 이상의 영역에서 일을 하는 사람들이 늘어나는 현상에 따른 것이다.

'멀티-커리어리즘' (Multi-careerism)과도 연결된다. 이런 포트폴리오 커리어는 하나의 직무만으로 평생 먹고 살기가 힘들어진다. 그런 미래가 우리 앞에 이미 현실화되었음을 시사한다.

이광호의 《아이에게 동사형 꿈을 꾸게 하라》 중에서

* 하나의 일, 하나의 직업으로
살아가는 시대는 지났습니다. 모든 것이
일이 되고 모든 일이 직업이 되는 시대를 맞고 있습니다. 여러 일을 동시에 할 수 있는 '멀티 플레이어'가 되어야 살아남을 수 있습니다. 이런 시대에 요구되는 가장 중요한 것은 자기 관리, 자기 준비입니다. 새로운 기술과 지식, 유연한 사고와 창의적 발상으로 언제든 능숙하게 대응해야 합니다. 포트폴리오 커리어 시대입니다.

(2020년 8월 11일 앙코르메일)
<고도원의 아침편지>

포트폴리오 커리어 시대를 준비하자
우리가 살아가는 세상은 커리어 세상이다. 그리고 현대 사회는 포트폴리오 커리어 시대이다.

우리는 예전에 "한 우물을 파야 된다"는 어르신들의 말씀을 듣고 살았다. 즉, 단일경로 시대인 커리어 패스 시대 였다. 마치 사다리를 오르듯 한 단계씩 더 큰 책임과 승진으로 가는 모습이었다.

이에 반해 요즘은 포트폴리오 커리어 시대다.
포트폴리오 커리어란 다양한 자신의 역량과 경험을 횡으로 개발하고 펼쳐놓아 어떤 커리어가 필요할 때 이들을 유연하게 조합하는 것을 의미한다. 세상이 바뀌어서 정보시대이고 그러고는 세상이 눈 깜빡할 사이에 많은 것이 변하고 있다.

그래서 한 가지 직업으로는 살아남기가 무척 어렵기에 자신의 다양한 포트폴리오를 활용하여 변화하는 상황과 필요로 하는 직업에 유연하게 대응하는 것이다.

과거는 대개 한 두 회사에서 퇴직까지 근무하거나 회사를 옮겨도 한 업종 안에서 왔다 갔다 할 뿐이었다. 이에 커리어 패스가 중요했다. 한 두 회사에서의 커리어 패스란 사실상 승진이라는 단일경로 외에는 대안이 없다.

이에 대부분의 교육과 역량개발은 승진의 단계마다 초점이 맞추어졌다. 그러나 인간의 수명이 점점 길어져 100세 시대가 되었다. 그리고 하나의 일, 하나의 직업으로 살아가는 시대는 지났다. 모든 것이 일이 되고 모든 일이 직업이 되는 시대를 맞고 있다. 여러 일을 동시에 할 수 있는 '멀티 플레이어'가 되어야 살아남을 수 있다.

이런 시대에 요구되는 가장 중요한 것은 자기 관리, 자기 준비이다. 새로운 기술과 지식, 유연한 사고와 창의적 발상으로 언제든 능숙하게 대응해야 한다. 기업도 생존주기는 점점 짧아져 간다. 젊은 세대들은 과거와 달리 한 회사에 평생 머물기를 원하지 않는다. 이제 몇 번의 동종업계 이직뿐 아니라 전혀 새로운 커리어 도전도 하게 될 것이다.

직장생활을 하는 직장인들도 야간이나 주말을 활용하여 자신의 또 다른 부캐를 이용하여 유튜브 등의 콘텐츠를 생성하고 투자활동도 한다. 기업 또한 빠르고 예측 불가능한 환경변화, 디지털 전환에 따른 기회와 위협에 대응하기 위해 인재관을 새롭게 정립하고 있다.

이런 시대는 어떤 인재가 필요할까?
미래의 인재들은 과거와 달리 박스나 사일로에 갇혀 있거나 특정 비즈니스만을 잘하는 사람들보다는 이를 넘어 사고를 확장할 수 있고 다양한 경험과 유연성을 갖춘 사람일 가능성이 높다. 그러므로 앞으로는 포트폴리오 커리어가 더 중요해질 것이라는 주장이다. 포트폴리오 커리어를 구축하기 위해 노력하는 사람들은 현재의 직업에 머물지 않는다.

호기심을 가지고 다양한 경험을 해본다. 다양한 기술들을 습득한다. 또한 습득한 다양한 기술과 직무에 필요한 기술을 창의적으로 연결하는데 숙련되어 있다. 이에 새로운 기회를 위해 자신을 홍보하고 심지어 만들 수 있는 준비가 더 잘 되어 있는 것이다. 전문가들은 산업혁명이 시작된 이래 유지되어오던 '일자리 시대'가 산업혁명 이전의 '일거리 시대'로 다시 회귀하는 추세라고 말한다.

유엔미래포럼 한국대표인 박영숙의 저서 '메이커의 시대(미래 일자리)'라는 유엔보고서 책자에서 "2030년대 즈음에 일자리의 시대에서 일거리의 시대로 바뀐다"라고 말한다.
혹시 개인적으로 부담이 된다면, '일거리'를 '일자리로 가기 위한 경험을 부여해줄 징검다리 활동'으로 보면 좋다.

따라서 오랫동안 일하면서 비교적 높은 보수를 받았던 안정된 형태의 '주된 일자리'에서 벗어난 이후에도 재취업 등을 통해서 일해야 할 필요성이 있는 신중년들은 이제 기존에 유연하지 않은 생각에서 벗어나 세상의 변화에 따르는 방법론도 좋은데 그 중 하나가 바로 '포트폴리오 커리어'이다. 또한, 자신이 직장인들이라면 빈 백지 하나를 꺼내서 자신의 포트폴리오 커리어를 하나씩 원으로 표시해보자.

지금까지 내가 경험한 것이 무엇일까? 내가 잘하는 것은 무엇일까? 두 번째, 이들을 연결해보라. 이들을 연결함으로써 어떤 새로운 가능성을 만들 수 있을까? 마지막으로는 여기에 추가하고 싶은 포트폴리오가 무엇인지 더해보라. 어댑터블하고 유연한 포트폴리오 커리어를 구성해 나가보라. 이것이 예측이 어려운 미래를 효과적으로 대응하는 방법이 될 것이다.

인생 1막을 마치고 난 이후에도 안정된 일자리에서 일하고픈 인간의 욕구는 당연하지만, 베이비붐 세대의 본격적인 퇴직이 시작되는 현시점의 높은 재취업 경쟁률 속에서 이전과 달리 질적이고도, 안정된 일자리를 찾기는 점점 어려워진다.

아래 변화의 시간이 빨라진 현시점에서 여러 가지 장애물을 넘어야만 하는 재취업보다는 '혼자 하는 일', 혹은 여러 개의 '파트타임 일'을 묶어서 동시에 해보라고 조

언한다. 이전과 달리 장기간의 고용을 제공하는 일자리
는 점점 줄어들기 때문이다. 특히 안정된 일자리만 희망
하면서 장기간에 걸친 구직기간을 허비할 수 없는 처지
라면 평소에 생각하지 않던 '파트타임 일' 등에 관심을
가져보면 어떨까? - 강성남 칼럼위원(담양문화원장)-

〈담양뉴스〉

한마디로 포트폴리오 커리어 인재는 한 분야 전문성이
있는 것이 아닌 다수에 전문성이 있는 사람을 말한다.
한 가지 일만 잘 하는 사람이 아닌 다수에 일을 할 수
있는 사람이다. 지금은 포트폴리오 커리어 인재 한 명이
10명의 가치를 창출하는 시대다.

《방탄 리더 인재양성 1》

3고 시대에 포트폴리오 커리어 리더가 되는 것은 선택
이 아닌 필수다.

6가지 수입을 창출하기 위한 본질은 리더자질을 갖추어
야만 시너지 효과가 난다. 리더 자질도 일반 리더십이
아닌 방탄리더이다. 4차 산업시대는 4차 리더십인 방탄
리더십 자질이 있어야만 방탄JOB기술력(6가지 수입을
창출) 시스템이 극대화된다. 다음으로 나오는 포트폴리

오 커리어 리더(방탄 리더) 6가지 수입 창출 비교 참고하자.

1. 포트폴리오 커리어 리더 작가
2. 포트폴리오 커리어 리더 강사
3. 포트폴리오 커리어 리더 유튜버
4. 포트폴리오 커리어 리더 오프라인, 온라인, 디지털 콘텐츠
5. 포트폴리오 커리어 리더 무인 시스템
6. 포트폴리오 커리어 리더 코칭

3고 시대, AI 시대, 챗 GPT 시대... 이제는 한 분야 전문성으로는 힘든 시대다. 이제는 리더도 포트폴리오 커리어 리더JOB(한 분야 전문성이 있는 것이 아닌 다수에 전문성이 있는 사람) 자기계발을 해야 한다.

6가지 수익 창출 포트폴리오 커리어 리더JOB 자기계발을 어떻게 할 것인가?
1. 포트폴리오 커리어 리더 작가JOB 자기계발
2. 포트폴리오 커리어 리더 강사JOB 자기계발
3. 포트폴리오 커리어 리더 유튜버JOB 자기계발
4. 포트폴리오 커리어 리더 오프라인, 온라인, 디지털 콘텐츠JOB 자기계발
5. 포트폴리오 커리어 리더 무인 시스템JOB 자기계발
6. 포트폴리오 커리어 리더 코칭JOB 자기계발

3고 시대를 극복하기 위한 6가지 수익 창출 포트폴리오 커리어 리더JOB 자기계발. 희망퇴직 나이 73세이고 대한민국 현실 은퇴 나이 49세를 준비, 극복하기 위한 6가지 수익 창출 포트폴리오 커리어 리더JOB 자기계발. 100세 현역으로 살기 위한 6가지 수익 창출 포트폴리오 커리어 리더 자기계발. 6가지 수익 창출 포트폴리오 커리어 리더JOB 자기계발 매뉴얼, 시스템 세계 최초 공개한다!

포트폴리오 커리어 리더

필수! 6가지 JOB(자기계발)

리더는 자신 분야의 전문가다.
짝퉁 전문가는 매뉴얼, 시스템
이 머리에만 있어 말로만 한다.
명품 전문가는 매뉴얼, 시스템
이 자료화(전문 서적)되어 있다.
리더의 경력은 스펙이 아니다.
리더가 경력을 자료화(책 출간)
할 때 강력한 스펙이 된다!

★ 자신 분야 삼성(진정성, 전문성, 신뢰성)을 올리는 최고의 자기계발은 책 쓰기, 책 출간이다!

세상에는 두 가지 종류에 지식이 있다. "아는데요!" 설명을 못하는 지식과 설명을 할 수 있는 지식이 있다. 진짜 지식은 설명까지 할 수 있어야 한다.

설명에서 한 차원 더 높은 것은 누구나 알아볼 수 있게 정리를 해서 쓰는 것이고 책을 출간하면 진짜 전문가가 되는 것이다. 그래서 자신 분야 전문 책이 있는 사람과 자신 분야 전문 책이 없는 전문가는 개미와 코끼리 차이다.

진짜 전문가가 되고 싶다면 설명할 수 있는 건 당연한 것이고 나를 똑같이 닮은 인재를 복제를 할 수는 없겠지만 복제가 가능한 매뉴얼, 시스템을 만들어 책으로 출간한다면 진정한 자신 분야 전문가가 되는 것이고 자부심, 사명감이 생긴다.

자신 분야 삼성(진정성, 전문성, 신뢰성)을 올리는 최고의 자기계발은 책 쓰기, 책 출간이다. 경력은 스펙이 아니지만 책을 쓰면 강력한 스펙이 된다.

지금은 경력이 10년, 20년, 30년...경력만 있는 사람을 전문가라 말하지 않는다. 그런 전문가들은 천지빼까리(국어사전: 너무 많아서 그 수를 다 헤아릴 수 없을 때 쓰는 말)이다.

경력을 무시하는 게 아니다. 전문가의 본질을 말 하는 것이다. 경력으로만 전문가라 말하는 시대는 끝났다. 지금 시대는 가짜 전문가가 너무 많기에 자신 분야 전문 책이 있어야 전문가라고 말을 할 수 있다.

경력만 있는 사람들 특징은 머리에만 노하우가 많다. 머리에 있는 노하우를 책으로 출간한다면 진짜 전문가가 되는 것이다. 자신 분야를 정리를 해서 말만 하는 사람과, 정리해서 책을 출간한 사람 중에 어떤 사람이 더 전

전문가라고 말을 하려면 증명할 수 있는 자료, 책이 있어야 한다. 전문 분야가 있다면 무조건 책을 써야 하고 책 출간을 해야 하는 건 아니다. 한번 생각해 보라! 전문 서적이 있는 전문가와 전문 서적이 없는 전문가를 봤을 때 어떤 사람을 진짜 전문가라고 인정하겠는가?

"이 전문가는 다른 전문가와 별 차이 없네."라고 느낌을 주면 전문가의 믿음, 신뢰, 비전을 느끼지 못한다. "이 전문가는 다른 전문가와 다르다"라는 것을 보여 줄 때 전문가의 믿음, 신뢰, 비전이 보이는 것이다.

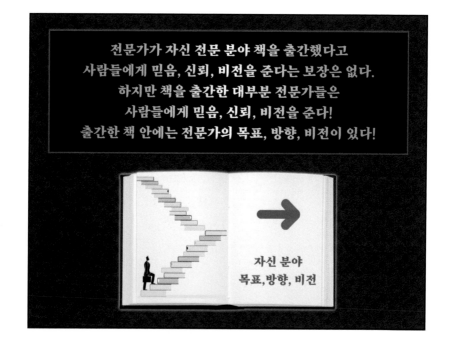

전문가도 같은 전문가가 아니다. 경력만 있는 전문가가 있는 반면 검증 받은 전문 분야가 있는 전문가가 있다. 경력이 같은 전문가가 있다고 가정 했을 때 스피치, 표정, 행동으로 어떤 전문가가 더 내공이 느껴지는지 알 수도 있지만 표면적으로 증명할 수 있는 스펙이 있어야만 대중들은 인정을 한다는 것이다.

지금 시대는 학위보다 더 인정받는 것이 자신 분야 전문 서적이다. 이제는 경력만 쌓으면 안 된다. 경력을 표면적으로 증명할 수 있는 강력한 플랫폼인 전문 서적을 출간해야 한다.

포트폴리오 커리어 리더는 자신 분야 작가가 되어야 한다. 자신 분야를 매뉴얼, 시스템을 자료화할 수 있는 책을 쓰고 책 출간을 해야 강력한 스펙이 된다.

표면적으로 보여 줄 것이 없어서 말로만 가르치려 리더.

"내가 말이야! 나 때는 말이야! 내가 했던것들과 내 스펙이 좋았어. 보여 줄 것은 없어서 표현할 방법이 없지만. 왕년에는 그 누구도 나만큼 전문성이 있는 사람은 없었고 따라 올 수가 없었어. 내가 하고 있는 분야에서 만큼은 최고였어."

자신 분야를 매뉴얼, 시스템화 한 책을 출간해서 어필하는 리더.

"전문성을 말로만 어필하는 사람이고 싶지 않습니다. 제가 지금까지 제 분야를 어떤 마음, 목표, 스킬로 했는지 내 분야 매뉴얼, 시스템을 만들었는지 출간한 책이 부연 설명이 될 것입니다. 매뉴얼, 시스템을 토대로 좀 더 자세히 설명하겠습니다."

★ 자신 분야 전문 서적이 없는 전문가와 자신 분야 전문서 적이 있는 전문가 차이점

책 쓰기, 책 출간과 직접적으로 연결되어 있는 직업이 강사 직업이다. 그래서 전문서적이 있는 강사와 전문서적이 있는 강사를 비교해 주겠다. 자신 분야와 접목을 해서 본다면 도움이 될 것이다.

강사 경력 15년 차인 A라는 강사는 강의 경력 15년이 전부다. 표면적으로 보여 줄 수 있는 스펙은 강의 했던 업체명 밖에 없다. 그 강사를 무시하는 게 아니다. 현실을 직시 해보자는 것이다.

강사 경력 15년 차인 B라는 강사는 강사를 양성하는 강사 백과사전 2권 출간 외 자기계발 책 100권을 출간했다.

어떤 강사가 더 전문가라고 느껴지는가? 누구한테 물어보더라도 자신 분야 전문 책이 있는 사람을 전문가라고 할 것이다.

지금 시대는 석사, 박사 학위만큼 인정해주는 것이 자신 분야 전문 분야 책이다. 책을 출간한다고 전문가가 되진

않는다. 하지만 전문가들은 자신 분야 책이 3~4권이 있다.

그래서 자신 분야 전문가라고 말을 하려면 자신 분야 책을 쓰고 출간하기 위해서 모든 걸 집중해야 한다.

경력은 스펙이 아니다!
경력만 있는 사람을 전문가라고 하지 않는다!

강사 경력 15년 차
전문 분야가 있지만
표면적으로
증명할 수 있는 것이 없다!

코칭 경력 15년 차
전문 분야 책 100권 출간
★ 특허청 등록 ★
제40-2072344호
최보규 자기계발코칭 창시자
제40-2128786호
최보규 리더동기부여 코칭전문가

000전문가

강사 경력 15년 차

매뉴얼, 시스템 책!

경력만 있다.

인간이 하는 모든 것의 본질을 알아야만 노오력이 아니라 올바른 노력을 할 수 있다. 노력은 경험만 채우고 시간만 때우는 것이다. 지금 시대는 노력이 배신하는 시대다.

올바른 노력은 어제보다 0.1% 다르게, 변화, 나음, 성장하는 것이다.

책 쓰기, 책 출간 본질을 알아야 노오력이 아닌 올바른 노력을 할 수 있다.

운동의 본질은 헬스, 운동의 기본기를 배우지 않는 사람이 좋은 헬스장으로 옮긴다고 헬스, 운동 습관이 만들어지는 것이 아니다.

직장의 본질은 월급 날짜만 기다리는 사람이 직장을 바꾼다고 일에 대한 의욕이 생기지 않는다.

사랑의 본질은 평상시에 사랑받을 행동을 안 하는 사람은 사랑하는 사람이 생겨도 사랑받을 수가 없다.

인간관계의 본질은 내가 좋은 사람이 되기 위해 학습,

연습, 훈련을 안 하면 좋은 사람이 생겨도 금방 떠나간다.

자기계발, 동기부여 본질은 "어제 보다 0.1% 나은 사람이 되자."라는 태도로 꾸준히 자기계발, 동기부여하지 않으면 시간, 돈 낭비를 한다.

리더십의 본질은 경력, 나이를 내세우면서 시대에 맞는 리더십으로 업데이트하지 않으면 리더십이 아닌 꼰대십(리더병)이 나온다. 꼰대십(리더병)이 생기면 "위치가 사람을 만드는 것이 아니라 위치가 사람을 망쳐버린다."

책 쓰기, 책 출간의 본질은 평상시 독서를 하지 않은 사람은 책 가치, 내공, 값어치가 나오지 않는다. 독서와 책 가치, 내공, 값어치는 비례한다.

오로지 베스트셀러(돈)가 되기 위해 집착하는 책 쓰기, 출간이 아닌 자신을 알고 있는 가족, 친구, 지인들이 읽었을 때 "유명한 책들 보다 읽었던 책 중에 베스트다."라고 인정받는 책 쓰기, 책 출간을 해야 한다.

본질의 힘

본질을 모르면 시간, 돈, 인생
낭비가 되어 악순환이 반복된다.

헬스, 운동의 본질

직장, 일의 본질

연애, 사랑의 본질

인간관계의 본질

자기계발, 동기부여의 본질

리더십의 본질

책 쓰기, 책 출간의 본질

10년 전보다 책 쓰는 환경이 너무나도 좋아졌다. 일반인들이 봤을 때는 책 쓰는 문턱이 너무나도 높아 보이지만 필자가 100권을 출간하면서 알게 된 것은 문턱이 그렇게 높지 않다는 것을 알게 되었다. 속된 말로 강사는 개나, 소나, 고양이나 하듯 책 출간도 개나, 소나, 닭이나 한다. "이 정도 내용의 책은 나도 쓰겠다. 책 값어치를 못한다."라고 느끼는 책들이 많아졌다.

오해하지 말고 들었으면 한다! 책 출간을 한 권도 안 한 사람들, 책을 대충 쓴 사람들을 무시하는 게 아니다. 냉정하게 현실을 직시해 보자는 것이고 책 쓰기, 책 출간 환경을 알아야만 자신 책을 제대로 쓸 수가 있는 것이다. 어떤 분야든 마찬가지이다. 자신이 하고 있는 분야 환경, 흐름, 트랜드를 알아야만 대처를 할 수 있고 변화, 준비를 해서 살아남을 수 있는 것이다.

보통 사람이 트랜드를 모르면 큰 문제가 되지 않지만
전문가가 자신 분야 트랜드를 모르면
큰 문제인 짝퉁 취급을 받는다.

2024 2025 2026
2027 2028 2029
2030 2031 2032

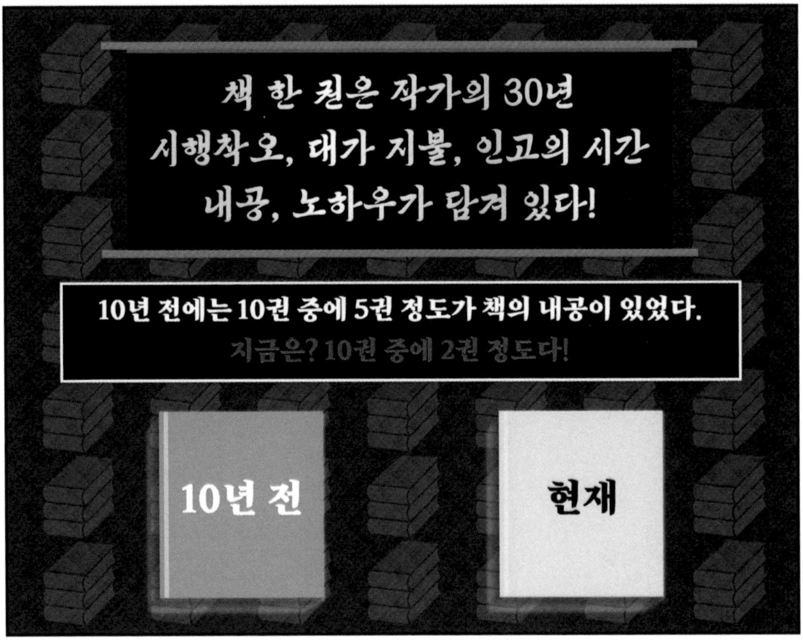

책 한 권은 작가의 30년
시행착오, 대가 지불, 인고의 시간
내공, 노하우가 담겨 있다!

10년 전에는 10권 중에 5권 정도가 책의 내공이 있었다.
지금은? 10권 중에 2권 정도다!

10년 전

현재

"한 권의 책은 그 사람의 30년 시행착오, 대가 지불, 인고의 시간, 내공이 들어있어서 한 권으로 배우는 것이다."라는 말을 들어봤을 것이다.

10년 전에는 이 말에 맞게 10권 중에 5권 정도는 내공이 담겨 있었다. 지금은 10권 중에 1권~2권 정도만 내공이 담겨 있다.

왜 그럴까?
대충 책 쓰기 교육, 코칭 하는 사람이 많아지다 보니 대충 쓰는 사람이 많아졌다는 것이다.

책 출간과 책 쓰기가 자신 분야 자기계발 하는데 최고지만 버킷리스트여서 책을 쓰고 싶다? 팔 목적이 아니다, 돈 벌 목적이 아니다, 소장하기 위해서 책 쓰고 싶다? 내 이름 그냥 석 자 남기고 싶어서 책 쓰고 싶다? 이런 목표로 책을 쓰고 출간하는 사람들이 많다. 이런 사람들을 잘못됐다고 말하는 게 아니다. 오해하지 말고 듣길 바란다!

20,000명 심리 상담, 코칭 하면서 알게 된 것은 대부분 사람들이 대책 없이, 계획 없이, 의미 없이 책을 써서 100%, 200%, 300% 후회를 한다는 것이다. 후회 안 하는 사람이 없는 건 아니지만 대부분 사람들은 처음에는 가벼운 마음으로 책을 출간했는데 출간한 책으로 6가지 수입을 발생시킬 수 있는 방법(방탄book기술력)을 코칭 받고 나서는 땅을 치고 후회를 한다는 것이다.

필자에게 코칭 받는 사람들 100%가 이런 말을 했다.
"다 필요 없이 책 한 권 출간하면 좋겠다. 이런 마음으로 책을 쓰기 위해 검증 안 된 전문가에게 교육, 코칭을 받고 책을 출간했는데... 책 출간 3개월 후 라면 받침대 되어버리는 상황... 처음부터 6가지 수입을 발생시킬 수 있는 방탄book기술력을 교육, 코칭 받았다면 돈, 시간 낭비를 줄일 수 있었을 텐데 뒤늦게 알게 돼서 너무 후회가 됩니다."라는 하소연을 하는 분들에게 늘 하는 말이 있다.

"안 좋은 경험을 했기에 6가지 수입을 발생시킬 수 있는 방법(방탄book기술력)이 좋다는 것을 뒤늦게나마 깨달을 수 있었던 것입니다. '더 늦기 전에 지금이라도 만나서 다행이다.'라고 생각하시면 됩니다."

책은 누구나 쓸 수 있지만 아무나 쓸 수 없다는 말이 있다. 아무나 쓸 수 없다는 말이 무슨 말일까?

어떤 의미부여, 목표, 방향으로 쓰느냐에 따라서 아무나 '쓰냐! 아무나 못 쓰냐!' 로 나누어진다.

인생도 어떤 의미, 목표, 방향에 따라 삶의 질이 완전히 달라지듯이 책 쓰기도 마찬가지라는 것이다.

의미부여, 목표, 방향 없이 산다고 삶의 질이 안 좋아지는 건 아니다. 단언컨대 삶의 질, 인생의 질, 행복의 질이 좋은 사람들 90%는 인생 의미, 목표, 방향이 있다는 것이다. 책 쓰기도 의미부여, 목표, 방향이 중요하다고 강조하는 것이다. 특히 전문 분야가 있는 전문가의 책 쓰기, 책 출간 자기계발은 의미부여, 목표, 방향이 분명해야 한다. 전문가가 쓴 책을 보고 대중들은 믿음, 신뢰, 비전, 방향을 느끼기 때문이다.

목표, 방향이 그 무엇보다 중요하다고 알려주는 하버드 대학교에서 연구한 스토리텔링이다.

얼마나 오래 할 거니?
심리학자 맥퍼슨은 악기를 연습 중인 어린이 157명을 추적해 보았다. 9개월쯤 후부터 아이들의 실력이 크게 벌어졌다.
"거참 이상하네, 연습량도 똑같고 다른 조건도 다 비슷한데 도대체 왜 차이가 벌어지는 걸까?"
그는 문득 연습을 시작하기 전 아이들에게 던졌던 질문을 떠올렸다.
"넌 음악을 얼마나 오래 할 거니?"
아이들의 대답은 크게 세 가지였다.
"전 1년만 하다가 그만둘 거예요."
"전 고등학교 졸업할 때까지만 할 거예요."
"전 평생 하며 살 거예요"
아이들의 실력을 비교해 보고 깜짝 놀랐다. 평생 연주할 거라는 아이들의 수준이 1년만 하고 그만둘 거라는 아이들보다 훨씬 높았기 때문이었다.

똑같은 기간 동안 연습을 했는데도 말이다.

《왓칭》

목표, 방향, 의미부여가 없이 잘하는 사람도 있긴 있다. 하지만 그 사람들은 극히 0.1%로 극히 드물다는 것이다. 자신은 목표, 방향, 의미부여 없이도 가능한 사람인지 있어야 되는 사람인지는 시도를 해보고 나다운 방식을 만들면 된다. 하지만 대부분 실력이 향상되고 결과를 내는 사람들 특징은 목표, 방향, 의미부여가 처음부터 잘 되었다는 것이다.

★ 취미나 자신의 만족으로 끝나는 책 쓰기, 책 출간이 아닌 자신 분야를 무한으로 연결시킬 수 있는 온라인 건물주 되는 방탄 책 쓰기!(방탄book 기술력)

책 쓰기, 책 출간을 처음부터 "그냥 그냥 내 이름 석 자 남기는 거야! 버킷리스트여서 대충 한 권 출간하고 말 거예요! 그냥 소장하기 위해서 쓰는 거예요! 베스트셀러 필요 없어요! 그냥 내 만족이에요!" 이런 의도로 책을 쓴다는 게 잘못됐다고 말하는 게 아니다. 다시 한 번 말 하지만 오해하지 말고 들었으면 한다!

그런 마음으로 책 쓴 사람들이 책 출간을 하고 나서 제 2수입, 제3수입을 연결하려고 코칭을 받은 후에 후회를 하기 때문에 강조하면서 말을 하는 것이다.

대충 자기만족으로 그냥 썼는데 책 내공, 책 가치, 책이 주는 메시지가 있겠는가? 누가 보겠는가? 보더라도 책 값어치를 못해서 욕한다는 것이다. 그래서 어떤 일을 시 작할 때, 책을 쓸 때, 책을 출간하고 나서 자신 분야와 연결할 수 있는 고리를 생각하고 책 쓰기, 책 출간을 해 야 한다.

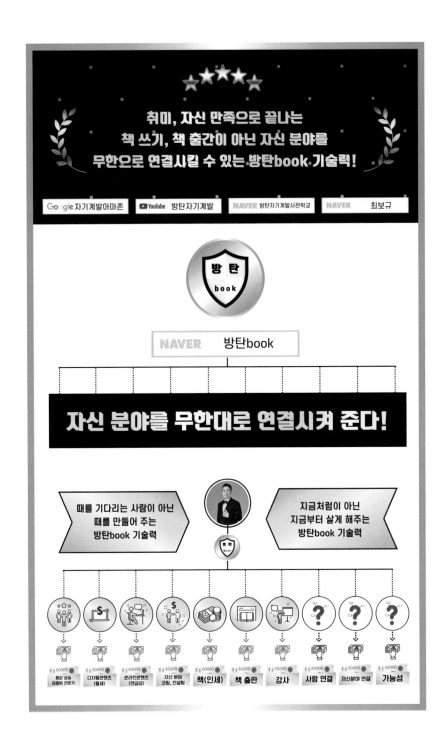

누군가는 운전면허증을 취득하려는 의미부여, 목표, 방향이 남들 다 운전면허증이 있으니 별 의미부여, 목표, 방향 없이 운전면허증을 취득하려고 한다.

누군가는 운전면허증을 취득하려는 의미부여, 목표, 방향이 가족을 부양하기 위해서 직업을 하기 위해서 먹고 살기 위해서 의미부여, 목표, 방향 설정 후 간절하게 취득하려고 하는 사람도 있다.

1차원적으로 단순하게 보면 어떤 사람이 운전면허증을 대하는 태도가 좋을까? 누구에게 물어보더라도 후자일 것이다.

그 어떤 것이든 시작할 때 의미부여, 목표, 방향이 있느냐, 없느냐에 따라서 태도가 580도 달라진다.

"시작하고 생각해라! 행동하고 의미부여, 목표, 방향 만들어라!" 이 말을 들으면 어떤가? 의미부여, 목표, 방향이 중요한 게 아니라 일단 시작하는 게 중요한 거구나? 이렇게 느껴지는가?

의미부여, 목표, 방향을 0.1%도 생각 안 하고 일단 시작해야 되는 상황이 있고 의미부여, 목표, 방향을 30% 정도 준비해서 시작해야 되는 상황이 있는 것이다. 책 쓰기는 특히 30% 의미부여, 목표, 방향을 설정하고 시작해야 한다.

운전면허증을 취득하기 위해서 독학을 하거나 운전면허학원에 등록한다. 필기를 먼저 합격해야 되기 때문에 운전면허 문제집을 먼저 산다. 한마디로 운전면허증을 따려면 가장 먼저 필기시험공부를 해야 하듯이 책 쓰기에 첫 번째로 해야 할 것은 대한민국 5가지 책 출판 개념의 장, 단점을 알고 전략적으로 책을 써야 한다.

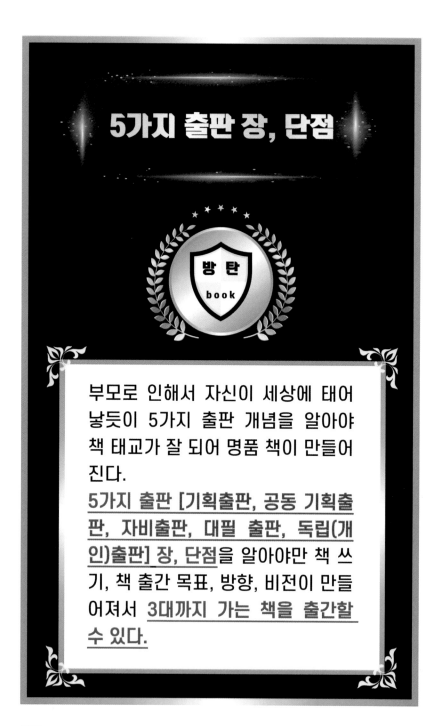

5가지 출판 장, 단점

부모로 인해서 자신이 세상에 태어 낳듯이 5가지 출판 개념을 알아야 책 태교가 잘 되어 명품 책이 만들어 진다.

5가지 출판 [기획출판, 공동 기획출판, 자비출판, 대필 출판, 독립(개인)출판] 장, 단점을 알아야만 책 쓰기, 책 출간 목표, 방향, 비전이 만들어져서 3대까지 가는 책을 출간할수 있다.

★ 기획출판, 공동 기획출판, 자비 출판, 대필 출판, 독립(개인)출판 장, 단점을 모르면 책 쓸 자격이 없다!

기획출판, 공동 기획출판, 자비 출판, 대필 출판, 독립(개인)출판의 원고, 기간, 인세, 비용, 출판부수, 장단점을 파악해야만 자신 책 쓰기, 책 출간 목표, 방향이 잡혀서 책 쓰기, 책 출간에 날개를 달게 된다.

대한민국 5가지 책 출판 개념의 장, 단점을 알고 전략적으로 책을 써야 한다.

세부사항	기획출판	공동 기획출판	자비출판	대필출판	독립(개인)출판
원고	?	?	?	?	?
기간	?	?	?	?	?
인세	?	?	?	?	?
비용	?	?	?	?	?
출판부수	?	?	?	?	?
장단점	???	???	???	???	???

표를 보면 이런 생각이 들 것이다.

"왜 표가 빈칸이지? 5가지 출판 개념이 중요하다고 하면서 왜 알려주지 않는 거지? 자신 노하우라고 숨기는 건가?"라는 의문점이 들것이다.

20,000명 심리 상담, 코칭 하면서 알게 된 것은 표만 보고 혼자 판단해서 오해하는 사람들이 너무 많았기에 오픈하고 싶어도 오픈을 안 하는 것이다. 5가지 출판 장단점을 설명하는 데 기본 1시간이 필요한데 설명은 듣지 않고 1분~3분밖에 걸리지 않는 비교한 표만 보게 되면 수박 겉핥기 식 밖에 안 되는 것이다. 어설프게 배우

민 더 헷갈리기 때문에 배우지 않는 게 낫다는 것이다.

필자의 방탄책쓰기 사관학교에서는 책 쓰기, 책 출간 코칭만 하는 것이 아니다. 코칭 받은 사람이 누군가를 코칭을 할 수 있는 자격 조건이 생길 때까지 코칭을 하기 때문이다. 그래서 코칭 받을 때 제대로 배워야만 오해 소지 없이 책 쓰기, 책 출간을 잘 할 수 있고 자신이 다시 누군가를 책 쓰기, 책 출간 코칭을 할 때 제대로 알려 줄 수 있기 때문이다.

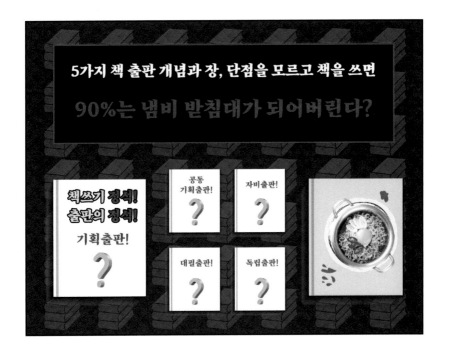

그런데 안타깝게도 시중에 나온 책 쓰기 책(200권 읽음), 책 쓰기 영상(500개 시청)을 보면서 알게 된 것은 책 쓰기 교육, 코칭을 거꾸로 알려주니 거꾸로 하고 있는 사람들이 대부분이다.

운전면허증에서 필기시험을 통과해야 실기 시험을 볼 수 있는데 실기 시험에만 집착하게 만든다. 인고의 시간을 거쳐 나온 소중한 책들이 누군가에 냄비 받침대가 되어 라면 국물이 묻어서 쓰레기 취급받는 책이 많다. 안타깝게도 90%의 책들이 책 출간 후 3개월 지나면 냄비 받침대가 되어간다.

"그냥 그냥 대충 이름 석 자 남겨야겠다." 그냥 대충 쓰면 정성 들여 쓴 책이 결국 냄비 받침대가 되어버린다는 것을 명심하자!

책 쓰기 의미부여, 목표, 방향을 제대로 설정하고 전략적으로 출간을 한다면 자신 분야 삼성(진정성, 전문성, 신뢰성)을 올리고 돈을 벌 수 있는 콘텐츠까지 연결시킬 수 있다. 그러면 자신의 인생뿐만 아니라 많은 사람들에게 라면 받침대가 아닌 인생의 받침대, 디딤돌이 되어 줄 것이다.

책 대충 쓰면
라면 냄비
받침대가 된다!

인생
받침대, 디딤돌이
되어 줄 수 있는
책 쓰기, 책 출간

평균적으로 저자는 독자가 자신의 책을 읽고 이런 감동을 받길 바랄 것이다. "우와! 책 내공이 느껴진다. 책 값어치를 하는 책이다. 뻔한 내용, 누구나 아는 내용이 아니다. 어떻게 이런 생각을 할 수 있었을까? 작가의 인생 내공, 자신 분야 전문성이 느껴지는 책이다. 책 값 15,000원 주고 샀는데 1억 5,000만원 가치를 느끼게 하는 책이다. 베스트셀러 책은 아니지만 지금까지 1,000권 본 책 중에 베스트1이다." 자신 분야 책 내공, 책 값어치, 책 가치를 올리기 위해서는 가장 먼저 해야 할 것은 독서다. 독서가 자신 전문 분야 내공, 값어치, 가치를 높여 주고 자신 분야 책 쓰기 내공, 값어치, 가치를 높여 준다.

독서가 왜 중요한지를 알려 주는 스토리텔링이다. 지구상에 성공한 리더, 가장 돈 많은 리더들이 100명이라면 99명은 독서를 한다.

3배나 더 빨리 배우고 3배나 부자가 될 수 있다니 이게 무슨 사이비 같은 소리야 하기겠지만!
이 방법을 배우기 위해 일론 머스크, 빌 게이츠, 버락 오바마, 오프라 윈프리 등이 단 한 사람을 찾아갔다면!

믿으시겠습니까?

우리는 정보의 바다를 넘어 정보의 홍수 폭풍 속에서 살아갑니다.

특히 업무를 위해서 나 자기 개발을 위해 무언가를 '읽어야' 할 일이 정말 많죠. 다 읽을 수 있는 여유가 있다면 좋겠지만 바쁜 일상을 살다 보면 시간이 부족해 책에는 먼지만 쌓여가거나, 침대 맡에 몇 달씩 책이 방치되는 일이 생기고 합니다.

그런데 우리가 책을 읽는 속도를 2배, 3배 향상시킬 수 있다면 어떨까요? 지식을 더욱 빠른 속도로 배울 수 있고 일에 필요한 노하우 습득 속도를 높여 업무 효율을 극대화할 수 있을 것입니다.

개인 사업을 하거나 영상 제작, 글쓰기를 하더라도 필요한 정보를 탐색하는 속도가 3배 빨라진다면 그 경제적 효과도 3배라고 할 수 있겠죠.

더 강조하지 않더라도, '빨리 읽기'의 유익은 다들 쉽게 상상하실 수 있으실 겁니다.

3배나 더 빨리 배우고 3배나 부자가 될 수 있다니 '이게 무슨 사이비 소리야?' 하시겠지만 이 방법을 배우기 위해 일론 머스크, 빌 게이츠, 버락 오바마, 오프라 윈프리 등이 단 한 사람을 찾아갔다면? 믿으시겠습니까?

우리 학습 속도를 2~3배 향상시켜주는 방법, 지금부터 시작합니다.

짐 퀵은 포브스 선정 2021년 올해 책임 한국어명 '마지막 몰입'의 저자인 베스트셀러 작가이자, 강사 브레인코치입니다.

'기억력 향상', '두뇌 건강', '가속 학습' 등의 분야를 전문으로 하는 뇌 전문가죠. 그런데 흥미로운 점은, 이런 직퀵이 어릴 적 사고로 뇌를 크게 다쳤다는 것입니다.

"소방관들은 제겐 영웅이었죠. 그래서 꼭 그들이 보고 싶었습니다. 창가로 의자를 가져가서 위에 올라갔죠. 간신히 소방관들을 볼 수 있었고, 정말 기뻤습니다. 제가 인생에 없던 기쁨을 맛보고 있던 그 순간 누군가 제 의자를 잡았고, 저는 그게 누군지 보기 위해 뒤로 돌았습니다. 그 순간 저는 머리부터 떨어지며 라디에이터에 머리를 부딪쳤죠.

끊임없이 피가 흘러 사방 군데로 퍼졌습니다. 그 사고 이후로 부모님은 제가 이전과 같지 않다고 하셨어요.

더 큰 문제는 제가 그때 영어를 읽을 수도 없었다는 겁니다. 어느 날은 제 선생님이 저를 손가락으로 가리키며 다른 어른에게 말하더군요. 저 소년이 '뇌가 고장 난 아이'야" '뇌가 고장 난 아이'였던 짐 퀵이 어떻게 브레인코치, 학습 전문가가 될 수 있었을까요? 긴 사연이 있지만, 이야기가 길어지니 그에게 큰 변화를 일으켰던 '두 영웅'에 대해서만 이야기하고 넘어가도록 하겠습니다.

첫 번째 영웅은 사실 '영웅들'인데요, 바로 엑스맨입니다. 글을 읽을 수 없었던 짐 퀵이 볼 수 있던 유일한 책은 만화책이었습니다.

미국은 특히 마블같은 히어로물 만화를 많이 보죠. 많고 많은 히어로들 중 짐 퀵의 마음을 사로잡은 영웅은 엑스맨 이었습니다.

가장 강하고 빠르지는 않지만, 소외된 자들, 돌연변이지만 악당들 물리치는 엑스맨들의 모습이 또래로부터 소외된 짐 퀵에게는 인상 깊게 느껴졌을 것 같습니다.

저녁마다 잠을 안 자고 이불 속에 숨어 플래시 라이트 비춰가며 책을 읽었다고 해요.

어쩌다 많이, 재밌게 읽었는지 원래 글을 읽을 줄 몰랐는데 이 만화를 보며 독학했다고 합니다.

'뇌가 고장 난 아이'가 처음으로 글을 있게 해준 영웅이 바로 엑스맨인 셈이죠.

두 번째 영웅은 아인슈타인입니다. 글을 읽게 된 이후로도 짐 퀵은 계속된 학습 장애로 인해 고통 받았다고 합니다. 책 한 권을 제대로 읽기가 어려웠고, 다 읽어도 내용이 전혀 머리에 남지 않은 것이죠. 어떻게든 극복해 보려고 정말 미친 듯이 공부를 했다고 합니다. 잠도 안 자고, 먹지도 않고 며칠 밤을 도서관에서 보내며 읽어야 할 책, 읽고 싶은 책, 엄청 쌓아놓고 미친 듯이 읽었습니다. 그런 피나는 노력을 통해 학습 장애를 '극복!' 했다는 행복한 이야기면 좋겠지만, 그렇게 무리하다 도서관에서 졸도하고 맙니다.

졸도하면서 계단에서 굴러떨어져 다시 한 번 머리를 다쳤고, 이틀 후에 병원에서 깨어났다고 합니다.

짐 퀵이 말하는 인생의 가장 어두웠던 시절입니다.

병상에서 깨어난 그에게 간호사 한 분이 차 한 잔을 가져다줍니다. 그 머그컵에는 아인슈타인의 사진과 함께 인용구 한마디가 적혀있었다고 합니다.

"문제를 유발한 것과 똑같은 수준의 생각으로는 절대 당신의 문제를 해결할 수 없다. 이 말은 제가 스스로에게 질문을 던지게 만들었습니다. 내 문제는 무엇일까?"

이 말에 큰 감명을 받은 짐 퀵은, 단순히 '열심히 해야겠다' 수준의 생각이 아니라, 보다 근본적인, 높은 수준의 물음을 던집니다. '내 본질적인 문제가 뭘까?'에 대해 고민하기 시작합니다.

즉, 느리게 배우는 것이 자신의 문제라고 정의하고, 빠르게 배우는 방법을 찾아다니기 시작합니다.

그러나 즉, 내용을 가르쳐주는 학교, 수업은 많아도 어떻게 해야 더 빨리, 더 많이 배우는지 가르쳐주는 곳은 없었고, 그때부터 퀵은 우리의 뇌는 어떻게 배우는지, 기억의 원리는 무엇인지 탐구하기 시작합니다.

그렇게 탐구를 거듭한 끝에 현재의 짐 퀵이 있는 것입니다. 사실 중간에 많은 이야기들이 더 있지만 가장 결정적인 사건만 소개해드렸습니다.

그럼 본론으로 들어가서 '어떻게' 읽기 속도를 두 세배 빠르게 할 수 있다는 걸까요?

지금부터 소개해 드리겠습니다.
첫째 '주변시를 활용하라'입니다.
짐 퀵이 말하는 주변 시란, 한눈에 보이는 문자나 단어의 범위를 뜻합니다.
즉, 내가 집중하고 있는 한 단어가 아닌, 그 단어 주변으로 보이는 여러 단어를 뜻하죠.
그 단어들을 한 번에 읽어내라고 짐 퀵은 말합니다.
우리는 보통 한 번에 한 단어에 집중해서 읽으라고 교육을 받아왔습니다.
그런데, 그건 처음 읽기를 배울 때, 즉 어휘를 많이 모를 때나 필요한 방법입니다.
이미 많은 어휘를 알고 특정 어휘와 주로 같이 사용되는 단어들이 어떤 것인지 않은 상황에서는 한 단어에만 집중하는 것은 오히려 우리의 독서 속도를 늦추는 역할을 합니다.

짐 퀵은 그의 저서에서 'report card' 라는 표현을 예시로 듭니다. '성적표'란 뜻이죠. 우리 뇌는 report card를 '성적표'라는 한 의미 단위로 처리합니다.

그런데 책을 읽을 때 한 단어에 집중하면, 'report' 'card' 이렇게 두 단어로 읽은 다음에 다시 아, 'report card' 이렇게 하나의 뜻으로 합치는 불필요한 과정을 거치면서 읽는 속도가 느려진다는 겁니다.

기억력이 정말 좋은 사람들이 정보의 부분 부분을 따로 외우는 게 아니라, 사진 찍듯이 이미지로 외운다는 말을 들어보셨을 겁니다. 같은 원리입니다.

특정 어휘는 주로 같이 쓰이는 단어들이 있습니다.

이 조합을 영어로 collocation이라고 합니다.

한국어 예시로 들면, 종가집 00하면 종가집 김치가 생각나고, 가재는 00하면 가재는 게 편이라는 말이 생각나듯, 굳이 꼼꼼하게 있지 않아도 바로 떠오르는 표현들은 한 단어 한 단어 천천히 읽을 필요가 없죠. 정말 한 단어 한 단어 모르는 어휘라 이해가 어려울 때는 어쩔 수 없지만, 그렇지 않을 때는, 이렇게 주변 시를 활용해 한 번에 여러 단어, 문장 단위로 보다 큰 의미 단위를 한 번에 이해하는 연습을 해보시기 바랍니다.

한 번에 문장 하나씩 눈으로 사진을 찍는다 생각하고 연습해 보시길 바랍니다. 굳이 단어 하나하나를 곱씹지 않아도 충분히 글에서 말하고자 하는 바를 이해하실 수 있습니다.

둘째, '속 발음'을 없애라입니다.
책을 읽을 때, 속으로 책을 소리 내어 읽기듯이 따라가며 읽으시진 않나요?
이게 바로 '속 발음'입니다. 이건 사실 어릴 적 교육의 결과입니다.
어릴 때 유치원이나 초등학교에서 책을 혼자서 발표하듯이 낭독하거나, 돌아가면서 한 줄씩 읽는 교육 많이 하잖아요?
어릴 때는 학생들 주의 집중력이 오래가지 않으니 이 방법이 효과적이겠지만, 이 이후에 읽기 교육을 받은 적이 없으니 지금은 필요 없는 옛날 습관을 여전히 반복하고 있는 거죠. 그런데 앞서 말했듯이 우리가 있는 대부분의 단어는 우리가 아는 단어들입니다.
그런 단어들을 굳이 내적 소리를 내어가며 읽을 필요가 있을까요? 아니요. 그냥 눈으로 보면 되는 겁니다.
우리 뇌의 처리능력은 우리 생각보다 엄청납니다.
소리 내지 않아도, 한 글자씩 온 주의집중을 쏟지 않아도 충분히 읽고 있는 내용을 이해할 수 있습니다.

이 속 발음을 없애기 위해서 짐 퀵이 제안하는 방식은 '숫자 세며 읽기'입니다. 눈으로는 책을 읽으면서 입으로는 '하나', '둘', '셋' 소리를 내라는 건데요.

소리를 내는 상황에서 속 발음 까지 하는 것은 정말 어려워서, 자연스레 속 발음이 없어진다고 합니다. 한 번 해보시길 추천 드립니다.

물론 처음에는 약간 혼란스럽지만 익숙해지면 점점 이해력이 향상된다고 짐 퀵은 말합니다.

이렇게 숫자를 꼭 하지 않더라도. 속으로 글자를 읽고 있다는 생각이 들 때 '이 속 발음이 독서 속도를 늦추고 있다.'라는 것을 지각하기만 해도 독서 속도가 빨라지는 것을 체감하실 수 있으실 겁니다.

마지막으로, 손가락으로 짚어가며 읽기입니다. 우리가 빨리 읽지 못하는 이유 중 하나는 '안구 회귀' 즉 읽다가 시선이 돌아가 특정 부분을 다시 읽는 현상 때문이라고 합니다.

집중이 잘 안될 때 책 읽으면 읽은 부분 읽고 또 읽고 또 읽고 또 읽고 그런 경험 다들 많으시죠?

어느 정도의 안구 회귀는 거의 모든 사람이 하기 마련인데, 대부분 무의식적으로 이루어진다고 해요.

손가락으로 짚어가면서 읽으면, 손가락의 위치에 집중하

기 때문에 무의식적으로 읽은 부분을 또 읽는 회귀 현상을 예방해 읽는 속도가 빨라진다고 합니다.

짐 퀵 이 책에서 소개하는 연구에 따르면, 손가락을 사용하면 읽는 속도가 최고 25%에서 최대 100%까지 빨라진다고 합니다.
실제 제가 실천에 봤는데, 전 이제 손가락 혹은 팬 등을 지퍼 가면 읽지 않으면 답답해서 책을 못 읽겠다는 생각이 들 정도로 큰 속도 향상을 경험했습니다.
무엇보다 집중도 잘 되고요. 그만큼 실천하기도 쉽고, 효과도 직방인 방법이라 할 수 있습니다.

"그럼 여기서 잠깐, 빨리 있는 게 좋은 건가?" 하시는 분들이 계실 수 있습니다.
우리는 보통 천천히 씹어가며 책을 읽어야 배우는 것이 많고, 속독은 이해도가 떨어지는 방법이라는 생각을 많이 하니깐요. 짐 퀵은 이를 반박합니다. 짐 퀵은 책을 통해 조용한 거리를 천천히 운전할 때와 경주로의 급커브를 전속력으로 달리는 상황에 대한 비유를 듭니다.
천천히 운전할 때는 여러 다른 일도 할 수 있죠. 음악 듣기, 노래 부르기, 대화하기 등이요.
그러나, 빠른 속도로 커브를 돌 때는 운전 외에 그 어떤 일도 신경 쓸 수 없습니다.

오로지 운전에만 몰입하게 되죠. 같은 원리로 우리의 독서도 빠르게, 오롯이 독서에 집중할 때 더욱 효과적인 독서가 일어날 수 있다고 합니다.

마무리하겠습니다. 읽어야 할 정보가 너무나도 많은 시대, 우리가 선택할 수 있는 것은 두 가지입니다.
시간을 늘리거나, 읽는 속도를 느리거나.
24시간은 한정되어 있는 만큼 시간을 늘릴 수 없으니 우리는 속도를 높여야 합니다.
속도를 높인다고 해서 이해도가 떨어지는 것이 아니라, 오히려 더 몰입감이 높아진다는 것을 기억하십시오.
주변 씨를 활용하고, 속 발음을 멈추고, 손가락으로 짚어가며 책을 읽으십시오.
당신의 독서량, 효율성, 나아가 당신의 부까지 몇 배 혹은 몇십 배 성장하는 경험을 하시게 될 것입니다.

<유튜브 북토크>

일론 머스크, 빌 게이츠, 버락 오바마, 오프라 윈프리 등이 빠르게 독서를 하기 위해 속도법을 배우고 세계 수많은 위인들, 부자들 대부분이 책을 읽고 책을 쓰는 이유가 자명하다. 신이 인간을 사랑해서 자신의 능력인 한 가지인 보물(지혜)을 책 속에 숨겨 났다. 그래서 그 보물(지혜)을 아무나 찾지 못한다. 책을 한두 권 보면 찾을 수 있는 게 아니다.

끊임없이 책을 읽어야만 신이 숨겨놓은 보물(지혜)을 하나씩 찾을 수 있는 것이다. 책을 많이 읽는 사람이 극소수인 것처럼 성공자, 부자들이 극소수다. 책을 많이 읽는다고 성공자, 부자가 되는 건 아니다. 하지만 단언컨대 성공자, 부자들은 책을 어마어마하게 읽는다.

사람의 생각을 바꾸는데 책 1톤이 필요하고 자신 인생을 바꾸는 데는 자신 분야 책 1권 출간이면 가능하다. 책 1,000권 읽는 것보다 자신 분야 책 1권 책 쓰기와 책 출간이 더 가치가 있다. 책을 10권 읽고 책 쓰는 사람, 책 100권 읽고 책 쓰는 사람, 책 1,000권 읽고 책 쓰는 사람 중에 어떤 사람 책이 내공, 값어치, 가치가 느껴질까? 누구에게 물어봐도 책 1,000권 읽고 책 쓰는 사람일 것이다. 책 쓰기의 기본 전제는 책을 많이 읽기다. 그 다음에는 물이 99도까지는 끓지 않고 100도에서 끓듯이 지혜의 임계점인 1도를 올려주는 것이 바로 책 출간이다. 책을 한 권도 읽지 않고 책 한 권 출간이 더 좋다고 말하는 게 아니다. 남들이 책 출간 한 것을 한번 읽는 것 보다 자신이 시행착오, 대가 지불, 인고의 시간을 거쳐 만든 책 쓰기, 책 출간이 그 만큼 평생 남으며 가치가 있다고 말하는 것이다.

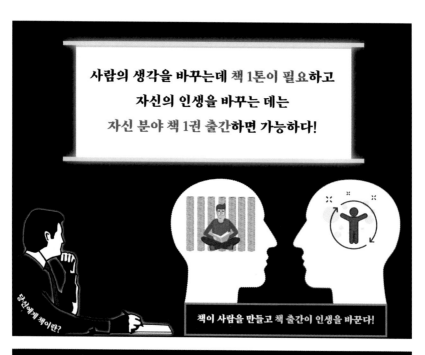

방탄책쓰기사관학교(www.방탄book.com)에서는

책 출간 최고의 장점인 절판 없는 책 쓰기, 책 출간을 한다. (절판: 발행된 책이 단종 됨, 출판사와 계약기간 만료) 출간한 책이 절판되어 재 출간하려면 처음 들어간 비용 다시 발생한다. 출판사들 90%가 절판을 한다.

방탄책쓰기사관학교(www.방탄book.com)에서는

"그래, 버킷리스트인 책 한 권 출간했어! 냄비 받침대가 되어 라면 국물이 묻어서 쓰레기가 되어도 좋아." 이런 정신으로 책 쓰기 코칭을 하지 않는다. 베스트셀러 책이 되는 것도 좋지만 자신, 가족, 조직체 원들, 소중한 사람들이 봤을 때 베스트라고 할 수 있는 책 출간 코칭을 한다.

방탄책쓰기사관학교(www.방탄book.com)에서는

자신 분야와 연결시켜 스펙도 올리고 돈을 벌 수 있는 시스템과 연결시켜 부수입을 올릴 수 있으며 부업(제2의 직업 강사, 제3의 직업 코칭, 은퇴 후 직업)으로도 할 수 있는 책 출간 코칭을 한다. 더 나아가, 많은 사람들에게 도움을 줄 수 있고 선한 영향력을 끼쳐 동기부여 해 줄 수 있는 리더 책 출간 코칭을 한다.

책 쓰기, 책 출간 교육, 코칭은 누구나 한다. 자신 분야를 연결하여 삼성(진정성, 전문성, 신뢰성), 월세, 연금성 수입을 올릴 수 있는 책 쓰기, 책 출간은 방탄책쓰기 사관학교에서만 할 수 있다.

어디에 있든 그 곳이
변화, 성장, 배움, 행복의
시작점이다.

- 최보규 방탄book 창시자 -

자신 가치 상승

자신 분야 전문 서적이 있다고 몸값, 가치가 올라가는 건 아니다. 하지만 몸값을 올리고 자신 가치를 올리는 사람들 99%는 자신 분야 전문 서적이 있다는 것을 명심하자!

몸값 상승

출간한 책으로 커리큘럼을 제작하여 비대면 시대가 와도 비수기 없이 온라인으로 수입을 올릴 수 있다.
시간, 장소 제약 없이 지속적으로 수입 창출을 할 수 있다.

온라인 콘텐츠 연결

출간한 책으로 커리큘럼 제작 후 디지털 콘텐츠(영상) 제작으로 수입 발생.
(매달 지속적인 월세, 연금성 수입, 온라인 건물주)
자신 분야 불특정 다수 연결로 인해 다양한 사업 제의와 수입 연결 통로.
영상 한번 제작으로 자신 분야 150년 지속적인 홍보 효과

디지털 콘텐츠 연결

230

최초! 한 곳에서 100년 활용하는 6가지 기술력을 전수한다!

www.방탄book.com

차별이 아닌 초월 시스템

타사와 **비교불가** 초월 혜택으로
자신 분야 온라인 건물주 되어 **100년 수입 창출!**

이코노미 코칭	비지니스 코칭	퍼스트클래스 코칭

---

www.방탄book.com

차별이 아닌 초월 시스템

타사와 비교불가 초월 혜택으로 자신 분야 온라인 건물주 되어 100년 수입 창출!

이코노미 코칭

기본 5H, 10H ~ 52H l 500,000원~

CHECK POINT

☑ 책 쓰기, 책 출간 컨설팅 후 코칭(하)
☑ 6가지 수익 창출 컨설팅 후 코칭(하)
☑ 150년 A/S, 피드백, 관리

비지니스 코칭

기본 10H, 15H ~ 52H l 1,000,000원~

CHECK POINT

☑ 책 쓰기, 책 출간 컨설팅 후 코칭(중)
☑ 6가지 수익 창출 컨설팅 후 코칭(중)
☑ 150년 A/S, 피드백, 관리

퍼스트클래스 코칭

기본 15H, 20H ~ 52H l 3,000,000원~

CHECK POINT

☑ 책 쓰기, 책 출간 컨설팅 후 코칭(상)
☑ 6가지 수익 창출 컨설팅 후 코칭(상)
☑ 150년 A/S, 피드백, 관리

www.방탄book.com

파트너 강사 임명

방탄자기계발사관학교 전임 강사
자기계발아마존 전임 강사
방탄book 전속 작가
방탄코칭 전문가
대한민국 노벨상인
"최보규상" 프로젝트 연구원

타이틀 5가지 자격 부여

150년 멘토

20,000명 상담, 코칭
자기계발서 100권 출간
381가지 습관 만듦
2,000권 독서

삼성(진정성, 전문성, 신뢰성)이
검증 된 전문가가 우주 최강 책임
감 150년 a/s, 피드백, 관리 해준
다. 자자자멘습긍 케어까지 해
준다. (자존감, 자신감, 자기관리,
자기계발, 멘탈, 습관, 긍정)

리더의 자신 분야 삼성(진정성, 전문성, 신뢰성)을
올려주고 인정해 주는 건 자신 전문 분야 책 출간이다!

책 1,000권 읽는 것보다.
자신 분야 책 1권 책 쓰기, 책 출간이 100년 간다!

리더 생각을 바꾸는데 책 1톤이 필요하고
리더 인생을 바꾸는 데는
자신 분야 책 1권 출간이면 가능하다!

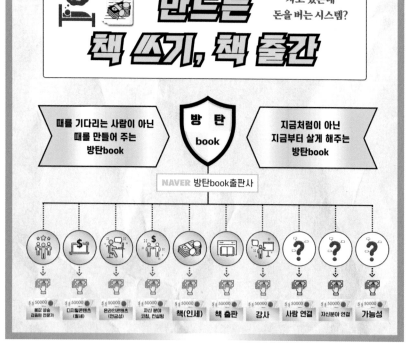

최보규의 책 쓰기 10G

✔ 일시, 시간

▶ 수시 모집 (상담)

▶ 13:00 ~ 18:00 (기본 5시간)

　시간 조정 가능!(10H, 15H, 20H)

✔ 내용

1. 책 쓰기, 책 출간 의미 부여, 목표, 방향 설정
　(5가지 책 출판 장단점)
2. 7G(원고, 투고, 퇴고, 탈고, 투고, 강의, 강사)
3. 온라인 콘텐츠 연결 기획, 제작
4. 디지털 콘텐츠 연결 기획, 제작
5. 자신 분야 연결 제2수입, 제3수입 창출 시스템 기획, 제작

✔ 자기계발 비용, 인원

▶ 비용 상담

▶ 1:1 코칭(온,오프라인)

✔ 장소, 상담

▶ 장소 상담 후 상황에 따라 변동 사항

▶ 한 번의 상담이 인생 터닝포인트

　150년 A/S, 관리, 피드백

　최보규 원장 010-6578-8295

방탄책쓰기 사관학교

시스템 사용설명서

시스템 소개

4차 산업 시대에 맞는 4차 책쓰기로 업데이트!

자신, 가족, 지인, 많은 사람들에게 읽히고 3대까지 가는 책 그냥 쓰면 안됩니다. 책 쓰는 의미 부여, 목표, 방향을 제대로 잡아 힘든 시기 제2의 수입, 제3의 수입을 올릴 수 있는 전문 분야 책쓰기로 자신 분야 삼성(진정성, 전문성, 신뢰성)을 올려야 합니다.

1차, 2차 책 쓰기는 아무나 못 쓰는 책이었고 3차 때는 누구나 쓸 수 있는 책이었다면 4차 책 쓰기는 자신 분야 삼성을 올릴 수 있는 책 쓰기, 책 출간이 되어야 합니다. 월세, 연금성 수입이 들어올 수 있는 콘텐츠 책 쓰기가 되어야 합니다.

01 교육.강의.코칭 목적 및 기대효과

 책 쓰기, 책 출간의 본질은 5가지 출판 장단점과 7G(초보, 원고, 퇴고, 탈고, 투고, 강의, 강사)를 학습, 연습, 훈련을 통해 자신 분야 삼성(진정성, 전문성, 신뢰성)을 올 릴 수 있는 효과.

빠르게 변하는 시대, 힘들고 점점 더 어려워지는 환경 속에서 방탄책쓰기 사관학교에서 책 쓰기, 책 출간 교육, 코칭으로 온라인 콘텐츠까지 연결시켜 본업 외에 제2수입, 제3수입을 발생시킬 수 있는 효과

02 교육.강의.코칭 항목

 1단계: 책 쓰기, 책 출간 의미 부여, 목표, 방향 설정
        (5가지 책 출판 장단점)
2단계: 7G(원고, 투고, 퇴고, 탈고, 투고, 강의, 강사)
3단계: 온라인 콘텐츠 연결 기획, 제작 (월세 수입)
4단계: 디지털 콘텐츠 연결 기획, 제작 (연금성 수입)
5단계: 자신 분야 연결 제2수입, 제3수입 창출 자동 시스템 기획, 제작

1	2	3	4	5

03 방탄책쓰기사관학교 신청 대상 세부 내용

방탄책쓰기사관학교

- ⚙ 자기계발을 시작하고 싶은 분.
- ⚙ 4차 책쓰기 업그레이드를 통해 자신 분야 변화, 성장하고 싶은 분
- ⚙ 책쓰고 자신 분야 전문가 되어 강사가 되고 싶은 분
- ⚙ 1,2,3,4,5단계 4차 책쓰기를 배워 자신 분야 삼성(진정성, 전문성, 신뢰성)을 업데이트해서 자신분야 가치, 몸 값어치를 올리고 싶은 분
- ⚙ 방탄자기계발사관학교 지회장이 되어 9가지 사관학교를 운영, 대한민국 노벨상인 최보규상 임원진이 되고 싶은 분

 04 교육. 강의. 코칭 항목

🔊 교육 시간은 변동사항 있을 수 있습니다!

구분	주제	강의내용	시간
방탄책쓰기 사관학교	1단계	책 쓰기, 책 출간 의미 부여, 목표, 방향 설정 (5가지 책 출판 장단점)	1H ~ 10H
	2단계	7G(원고, 투고, 퇴고, 탈고, 투고, 강의, 강사)	1H ~ 10H
	3단계	온라인 콘텐츠 연결 기획, 제작	1H ~ 10H
	4단계	디지털 콘텐츠 연결 기획, 제작	1H ~ 10H
	5단계	자신 분야 연결 제2수입, 제3수입 창출 시스템 기획, 제작	1H ~ 10H

책 쓰기 3가지만 준비하면 끝!

20,000명 상담, 코칭 데이터! 사실 각자마다 기준이 다를 수 있으므로 삼성(진정성, 신뢰성, 전문성)이 검증된 사람이 말할지라도 맹신은 금물!

02

7G를 알아야 책 쓰기가 편하다!

초고, 원고, 퇴고, 탈고, 투고, 강의, 강사

작가 직업, 강사 직업
두 마리 토끼 잡는다.
중요 ★★★★★★★

책 쓰기 3가지만 준비하면 끝!

20,000명 상담, 코칭 데이터! 사실 각자마다 기준이 다를 수 있으므로 삼성(진정성, 신뢰성, 전문성)이 검증된 사람이 말할지라도 맹신은 금물!

03

한번 코칭으로 150년 A/S, 관리, 피드백 받을 수 있는 전문가 선택!

대한민국 대부분 코칭 95%가 한번 코칭 하면 끝나고
가장 중요한 관리를 해주지 않는다. 늘 그때뿐인 교육, 코칭이 된다!

돈, 시간을 아껴준다.
중요 ★★★★★★★

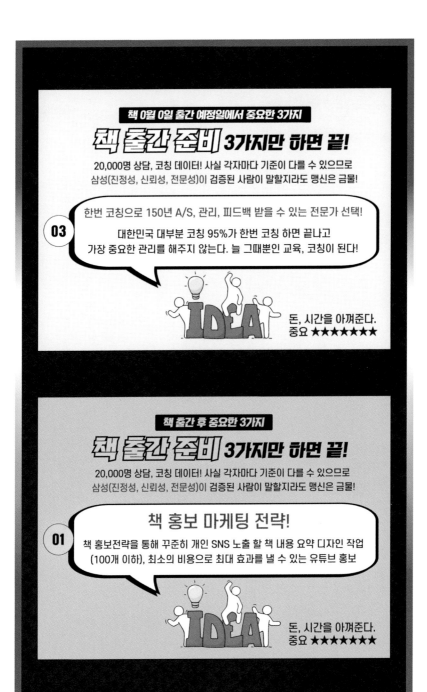

책 0월 0일 출간 예정일에서 중요한 3가지

책 출간 준비 3가지만 하면 끝!

20,000명 상담, 코칭 데이터! 사실 각자마다 기준이 다를 수 있으므로
삼성(진정성, 신뢰성, 전문성)이 검증된 사람이 말할지라도 맹신은 금물!

03

한번 코칭으로 150년 A/S, 관리, 피드백 받을 수 있는 전문가 선택!

대한민국 대부분 코칭 95%가 한번 코칭 하면 끝나고
가장 중요한 관리를 해주지 않는다. 늘 그때뿐인 교육, 코칭이 된다!

돈, 시간을 아껴준다.
중요 ★★★★★★

책 출간 후 중요한 3가지

책 출간 준비 3가지만 하면 끝!

20,000명 상담, 코칭 데이터! 사실 각자마다 기준이 다를 수 있으므로
삼성(진정성, 신뢰성, 전문성)이 검증된 사람이 말할지라도 맹신은 금물!

01

책 홍보 마케팅 전략!

책 홍보전략을 통해 꾸준히 개인 SNS 노출 할 책 내용 요약 디자인 작업
(100개 이하), 최소의 비용으로 최대 효과를 낼 수 있는 유튜브 홍보

돈, 시간을 아껴준다.
중요 ★★★★★★

책 출간 후 중요한 3가지

책 출간 준비 3가지만 하면 끝!

20,000명 상담, 코칭 데이터! 사실 각자마다 기준이 다를 수 있으므로
삼성(진정성, 신뢰성, 전문성)이 검증된 사람이 말할지라도 맹신은 금물!

02

책 분야 전문성 만들기!

책 전문분야 1개월 ~ 6개월 교육할 커리큘럼, 시스템을 만들어 책을 교재로
활용해서 자신 분야 삼성(진정성, 전문성, 신뢰성)을 만들고 강사료를 올리자.

작가 직업, 강사 직업
두 마리 토끼 잡는다.
중요 ★★★★★★★

책 출간 후 중요한 3가지

책 출간 준비 3가지만 하면 끝!

20,000명 상담, 코칭 데이터! 사실 각자마다 기준이 다를 수 있으므로
삼성(진정성, 신뢰성, 전문성)이 검증된 사람이 말할지라도 맹신은 금물!

03

한번 코칭으로 150년 A/S, 관리, 피드백 받을 수 있는 전문가 선택!

대한민국 대부분 코칭 95%가 한번 코칭 하면 끝나고
가장 중요한 관리를 해주지 않는다. 늘 그때뿐인 교육, 코칭이 된다!

돈, 시간을 아껴준다.
중요 ★★★★★★★

출간 후 가장 먼저 해야 할 3가지!

출판계의 로또 기획출판(1000~3000만 원 투자 받음) 아닌 이상 저자가 다 해야 된다.
책 스타트업은 이렇게 시작된다.

처음부터 공들여야 해..
이곳 저곳 하나하나

01 책(신생아)키우기

꾸준히 관심, 사랑을
받기 위해 페이지별로
이미지 제작해서
SNS 노출

이 책은 OOO 입니다!
많이 사랑해주세요!

02 마케팅 하기

책 분야
강의 교안 작업 홍보
이미지 제작
홍보 영상 제작

음.. 여기서 이 정도
연결시켜 소득 지속화!

03 전문성 연결

책 분야 교육, 코칭
커리큘럼, 제안서
전문분야 자격증
만들어 몸값 올리기

스타트업 마케팅 사례

유튜브 홍보, 마케팅 전략사례 1

최소의 비용으로 최대 효과
지속적인 마케팅 사례를 알아보자!
인세 발생, 강의 의뢰, 코칭 의뢰, 전문성 홍보
일반 강사, 작가 보다 차별화 스펙 어필!

5 ~ 10가지 연결고리가 생겨 단타에 끝나지 않고
영상 삭제하기 전까지 지속적 연결된다!(100년)

01 행복히어로 (출간일 2021. 01. 17)

▶ 유튜브 업로드 한번 끝!
▶ 조회 수 : 4,280회 (꾸준히 노출)
▶ 인세 발생, 강의 의뢰, 코칭 의뢰, 전문성 홍보..
▶ 한 번의 영상 제작, 홍보로 10가지 연결고리

유튜브 홍보, 마케팅 전략사례 2

최소의 비용으로 최대 효과
지속적인 마케팅 사례를 알아보자!
인세 발생, 강의 의뢰, 코칭 의뢰, 전문성 홍보
일반 강사, 작가 보다 차별화 스펙 어필!

5 ~ 10가지 연결고리가 생겨 단타에 끝나지 않고
영상 삭제하기 전까지 지속적 연결된다!(100년)

02 나다운 방탄습관블록 (출간일 2021. 06. 07)

▶ 유튜브 업로드 한번 끝
▶ 조회 수 : 14,901회 (꾸준히 노출)
▶ 인세 발생, 강의 의뢰, 코칭 의뢰, 전문성 홍보..
▶ 한 번의 영상 제작, 홍보로 10가지 연결고리

책 출간 스타트업 지원 정책

함께 잘 먹고 잘 살기 위해 지원금 드립니다!

책 쓸 아이템은 없지만 책을 쓰고 싶은데?
책 쓸 아이템 있는데? 어떻게 시작해야 할지 막막하다면?
코칭비, 출간 비용이 부족하다면? 맞춤 상담과 지원금 신청하세요!

책 쓰기 시작 하고 싶은 분 7G 스타트업	지원금 50% 적용해서 반값에 코칭! 기본 1회 5H (2회 ~ 5회 선택가능)
책 출간 0월 0일 예정일 받은 분 계획적 책(신생아) 출산 준비	지원금 50% 적용해서 반값에 코칭! 책 2시간 특강 강의 교안 작업 완성될 때까지, 프로필 사진 페이지별 이미지 작업, 홍보 이미지, 홍보 영상 작업 (샘플 참고)

저자 특강 2시간 강의교안 제작 샘플

책 표지, 책 내용으로 맞춤 디자인 제작, 변경 가능!

저자 특강 2시간 강의교안 제작 샘플

책 표지, 책 내용으로 맞춤 디자인 제작, 변경 가능!

저자 특강 2시간 강의교안 제작 샘플

책 표지, 책 내용으로 맞춤 디자인 제작, 변경 가능!

책 개인 프로필 홍보 이미지 샘플

책 표지, 책 내용으로 맞춤 디자인 제작, 변경 가능!

개인 SNS 홍보! 책 페이지별 이미지 제작 샘플

책 표지, 책 내용으로 맞춤 디자인 제작, 변경 가능!

개인 SNS 홍보! 책 페이지별 이미지 제작 샘플

책 표지, 책 내용으로 맞춤 디자인 제작, 변경 가능!

유튜브 홍보영상제작 샘플

책 표지, 책 내용으로 맞춤 디자인 제작, 변경 가능!

유튜브 홍보영상제작 샘플

책 표지, 책 내용으로 맞춤 디자인 제작, 변경 가능!

방탄책쓰기 사관학교

방탄책쓰기 자격증

"국가등록 민간자격"

★ 자격증명: 자기계발코칭전문가

★ 등록번호: 2021-005595

★ 주무부처: 교육부

★ 자격증 종류: 모바일 자격증

※ 등록하지 않은 민간자격을 운영하거나 민간자격증을 발급할 때에는 [자격기본법]에 의해 3년 이하의 징역 또는 3천만 원 이하의 벌금에 처해진다.

"국가등록 민간자격증"

★ 자격증명: 자기계발코칭전문가

★ 등록번호: 2021-005595

★ 주무부처: 교육부

★ 자격증 종류: 모바일 자격증

※ 등록하지 않은 민간자격을 운영하거나 민간자격증을 발급할 때에는 [자격기본법]에 의해 3년 이하의 징역 또는 3천만 원 이하의 벌금에 처해진다.

책 쓰려는 분! 작가님들! 저서 있는 강사님들!
자신 책 강의 트랜드에 맞는
교안 작업, 트레이닝? 힘드시죠?
담당자, 청중이 좋아하는 교안 작업, 트레이닝 힘드시죠?
강의를 못해서 자신 책, 소중한 책
3대까지 가는 책을 더는 죽이지 마시고 심폐소생술 시작!

책 쓰실 분, 작가님, 저서 있는 강사님들
자신 책 값어치, 강사료 올리고
온라인 콘텐츠 제작으로 수입 발생
자동 시스템을 연결시켜드립니다.

종이책 만들기 매뉴얼

종이책 1권 출간하는데 <u>90% 사람들이 자비 출판</u>을 한다. 자비 출판 1권 평균 출간 비용 300만 원이 발생한다. 하지만 방탄book기술력을 활용하면 1권 출간하는데 출간 비용이 0원이다.

자신 분야를 종이책으로 출간하는 매뉴얼 천재일우! 집중!
(천재일우: 좀처럼 만나기 어려운 기회. 천년에 한번 만날 수 있는 기회.

20,000명 심리 상담, 코칭으로 알게 된
20,000명이 바라는 책 쓰기, 책 출간 교육, 코칭

 10가지

 1
한번 출간한 책으로 <u>평생 활용하는 방법을</u> 알려주는 교육, 코칭

 2
<u>로또 2등과 같은 기획출판을 하기 위해서 출판기획서 제작 스트</u> 레스, 거절 메일을 확인 하는 스트레스, 370가지 스트레스... 등 마음고생 덜 하고 책 출간할 수 있는 책 쓰기 교육, 코칭

 3
책 활용 수입 창출 시스템 교육을 검증 된 전문가에 게 한 곳에서 <u>시간, 돈 낭비를 줄여주는</u> 책 쓰기 교 육, 코칭

 4
한번 코칭으로 <u>100년 a/s, 피드백, 관리해</u> 주는 책 쓰기 교육, 코칭

 5
책 출간 후 <u>자신 분야 삼성(진정성, 전문성, 신뢰성)</u> <u>을 높여 자신 분야 내공, 가치, 몸값</u>까지 올릴 수 있 는 책 쓰기 교육, 코칭

6 출간한 책으로 강사가 되어 은퇴 후 제2의 직업을 할 수 있는 책 쓰기 교육, 코칭

7 책 출간 후 자신 분야 코칭 전문가가 되어 은퇴 후 제3의 직업까지도 할 수 있는 책 쓰기 교육, 코칭

8 책 출간 후 온라인 콘텐츠까지 제작을 해서 비수기 없는 책 쓰기 교육, 코칭

9 책 출간 후 디지털 콘텐츠까지 제작을 해서 월세, 연금성 수입까지 발생시킬 수 있는 책 쓰기 교육, 코칭

10 책 한 권 출간하고 끝나는 것이 아니라 100년 동안 책을 무한대로 출간 할 수 있는 책 쓰기, 책 출간 기술력을 교육, 코칭

책 쓰기, 책 출간 교육, 코칭은 누구나 한다.
6가지 수입 창출 책 쓰기, 책 출간
교육, 코칭은 방탄BOOK 창시자 뿐이다.

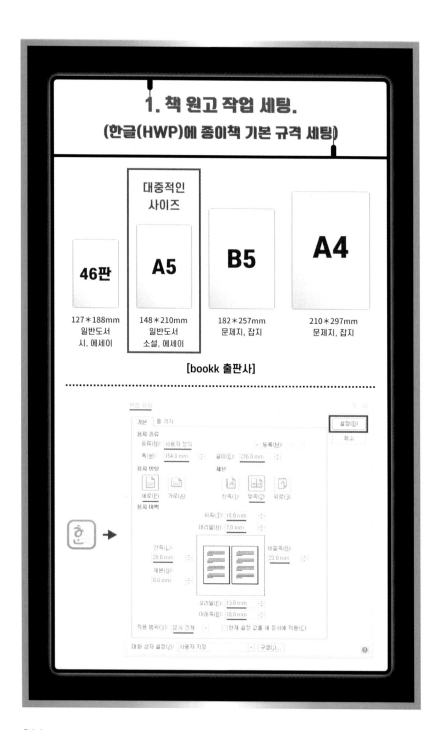

1. 책 원고 작업 세팅.
(한글(HWP)에 종이책 기본 규격 세팅)

대중적인
사이즈

46판

A5

B5

A4

127 * 188mm
일반도서
시, 에세이

148 * 210mm
일반도서
소설, 에세이

182 * 257mm
문제지, 잡지

210 * 297mm
문제지, 잡지

[bookk 출판사]

1) 책 원고 작업 세팅. 한글(HWP)에 종이책 기본 규격 세팅.

책 원고 작업을 여러 가지 프로그램에서 가능하지만 평균적으로 책 원고 작업을 한글(HWP)에서 한다. 그래서 출판사의 종이책 원고 규격에 맞는 한글(HWP)에 기본 규격 세팅을 해야 한다.

▶ 원고 작업을 위한 한글(HWP) 기본 규격 세팅 순서. 한글 → 편집 → 쪽 여백 → 쪽 여백 설정 → 종류(사용자 정의) → 폭(154) → 길이(216) #. A5 대중적인 사이즈 148*210인데 상하좌우 3mm는 실제 제작 할 때 재단되어 반영되지 않기에 148+6*216+6= 폭(154)*길이(216)가 되는 것이기에 참고하자.
→ 용지 방향(세로) → 제본(맞쪽) → 용지 여백 → 위쪽 18.0 → 머리말 7.0 → 꼬리말 13.0 → 아래쪽 18.0 → 안쪽 28.0 → 바깥쪽 23.0 → 문서 전체 → 설정

한 번만 세팅해 놓으면 복사해서 계속 쓸 수 있다.

1. 책 원고 작업 세팅.
(한글(HWP)에 종이책 기본 규격 세팅)

▶ 글꼴: 바탕 ~
▶ 글자 크기: 10 ~
▶ 글정력: 양쪽 정렬
▶ 줄 간격: 160% ~

※ 글꼴, 글자 크기, 줄 간격 출판사 마다 다르다.
bookk 출판사에서 평균적으로 사용하는 규격이
니 참고하길 바란다.

※ 글꼴, 글자 크기, 줄 간격 출판사마다 다르다. bookk 출판사에서 평균적으로 사용하는 규격이니 참고하길 바란다.

▶ 한글 → 글꼴(바탕) → 글자 크기(10) → 양쪽 정렬 → 줄 간격 160%

필자는 글자 크기를 12, 줄 간격은 180%로 하고 있다. 출판사가 정해 놓은 규격에서 조금 플러스가 될 수는 있지만 마이너스가 되면 안 된다. (책 출간이 안 되는 예시: 글자 크기 9, 줄 간격 150%)

한번만 세팅해 놓으면 복사해서 계속 쓸 수 있다.

1. 책 원고 작업 세팅.
(한글(HWP)에 종이책 기본 규격 세팅)

입력(D) ▾   서식(J) ▾   **쪽(W)** ▾   보안(B) ▾   도구(K) ▾

쪽 모양 나누기 구역

바탕쪽   머리말   꼬리말   쪽 테두리/   **쪽 번호**   새 번호로   현재 쪽만   쪽   단   단
배경   **매기기**   시작   감추기   나누기 나누기

바탕글 ▾ 대표 ▾ 바탕 ▾ 10.0 pt 가 가 가

쪽 번호 매기기

번호 위치

○   ○   ○   ○ 안쪽 위(I)   ○ 바깥쪽 위(O)   넣기(D)

취소

1   1

○   ○   ○   ○ 안쪽 아래(N)   ● 바깥쪽 아래(U)

○ 쪽 번호 없음(X)

번호 모양(T)

1,2,3   ▾   □ 줄표 넣기(L)

쪽 번호의 글자 모양은 현재 문서의 스타일 중에서 "영문 이름:
Page Number" 스타일의 영문 글자 모양을 따라갑니다.   ②

페이지 번호를 미리 세팅해 놓으면 원고 작업할 때 편하다. 지금 몇 페이지를 쓰고 있는지 몇 페이지가 남았는지 체크를 할 수가 있어서 원고 작업이 수월해진다. 쪽 번호 매기기는 원고를 다 쓴 다음에 할 수도 있다.

▶ 한글 → 쪽 → 쪽 번호 매기기 → 바깥쪽 아래 →
→ 줄표 넣기(자신 스타일에 맞게) → 넣기

한 번만 세팅해 놓으면 복사해서 계속 쓸 수 있다.

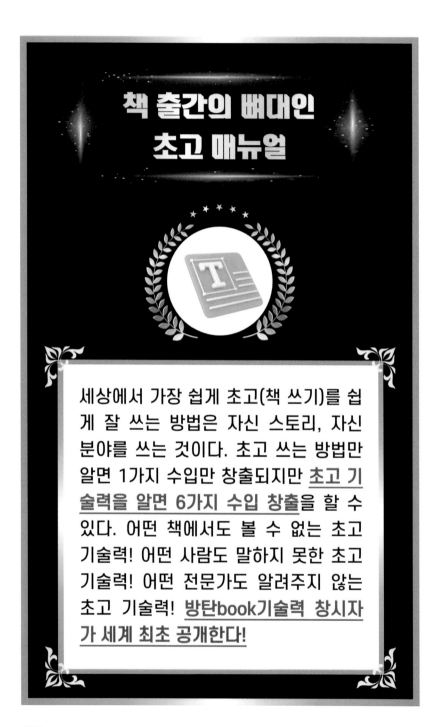

책 출간의 뼈대인
초고 매뉴얼

세상에서 가장 쉽게 초고(책 쓰기)를 쉽게 잘 쓰는 방법은 자신 스토리, 자신 분야를 쓰는 것이다. 초고 쓰는 방법만 알면 1가지 수입만 창출되지만 <u>초고 기술력을 알면 6가지 수입 창출</u>을 할 수 있다. 어떤 책에서도 볼 수 없는 초고 기술력! 어떤 사람도 말하지 못한 초고 기술력! 어떤 전문가도 알려주지 않는 초고 기술력! <u>방탄book기술력 창시자가 세계 최초 공개한다!</u>

대학교로 비유를 하면 여러 가지 과로 나누어져 있듯이 책 분야도 여러 분야로 나누어져 있다. 대학교도 인기 있는 과가 있고 인기 없는 과가 있듯이 책 분야도 인기 있는 분야가 있고 인기 없는 분야가 있다. 한마디로 책을 보는 사람들이 좋아하는 분야가 있다는 것이다.

다음은 책 분야를 정리한 것이니 참고해서 책 분야 전체적인 흐름을 파악하길 바란다.

소설, 시/에세이, 인문, 가정/육아, 요리, 건강, 취미/실용/스포츠, 경제/경영, 자기계발, 정치/사회, 역사/문화, 종교, 예술/대중문화, 중/고등참고서, 기술/공학, 외국어, 과학, 취업/수험서, 여행, 컴퓨터/IT, 잡지, 청소년, 초등참고서, 유아(0~7세), 어린이(초등), 만화, 대학교재

<교보문고>

마음 같아서는 인기 있는 분야를 쓰고 싶을 것이다. 하지만 처음 글을 쓰는 사람들, 글 내공이 없는 사람들, 자신 분야 책을 3권 이상 쓰지 않은 사람들은 인기 있는 분야가 아닌 자신이 자신 있게 쓸 수 있는 분야를 선택해야 한다.

운전으로 예시를 들겠다. 운전면허증을 오늘 취득한 초보가 인기 있는 차종, 사람들이 좋다고 하는 차종, 고가의 차종을 운전한다면 부담이 되어서 나다운 운전 스타일이 나오지 않는다.

당연히 돈이 많아서 운전이 서툴러도 부담 없이 운전하는 사람도 있을 수 있지만 나다운 운전 스타일이 자리 잡을 때까지는 부담이 없는 소형차부터 시작을 하듯이 책 쓰기도 인기 있는 분야를 처음부터 시도해도 되지만 자신이 가장 잘 쓸 수 있는 자신 스토리, 자신 전문 분야로 책을 쓰면 글을 잘 쓸 수 있다.

자신에게 맞는 책 분야 선택을 잘 하려면 시중에 있는 자신 분야와 연관 있는 책들 10권 이상 보길 바란다. 10권 이상 보면 어느 정도 감이 올 것이다. 세상에서 가장 좋은 방법은 벤치마킹하는 것이다.

첫 번째, 책 제목을 만들고 책 내용을 쓰는 게 먼저일까? 두 번째, 책 내용을 쓴 다음 책 제목을 만드는 게 먼저일까?

정답은 없지만 20,000명 심리 상담, 코칭, 종이책 150권, 전자책 250권 총 400권 출간 경력으로 알게 된 것은 책 내용을 쓰기 전에 책 제목을 간단하게 만들어야 한다는 것이다. 책 내용을 쓰면서 책 제목이 바뀔 수 있고 좀 더 좋은 아이디어가 나온다는 것이다.

"초고는 쓰레기다."라는 말이 있다. 처음 생각하고 만든 것은 어설프고 미흡하며 보완할 것이 많다는 의미다. 자신이 추구하는 책 분야, 책 가치, 책 신념, 책 의미, 책 목표, 책 방향이 정확하게 있다면 제목을 신중하게 만들 수 있지만 그렇지 않다면 간단하게 제목을 만들어도 된다.

필자에 첫 번째 책은 《나다운 강사 1》, 《나다운 강사 2》다. 필자 본업이 강사이다. 5년 전 강사 직업과 강사 양성코칭을 10년 하면서 쌓인 노하우들을 책으로 출간을 했다. 《나다운 강사 1》 책 제목을 '책을 써야겠다.'라는 마음먹은 순간부터 6개월 초고 작업과 탈고까지

하면서 제목을 한 번도 수정한 적이 없다. 책 분야, 책
가치, 책 신념, 책 의미, 책 목표, 책 방향이 정확하게
있었기 때문이다.

20,000명 심리 상담, 코칭, 종이책 150권, 전자책 250
권 총 400권 출간하면서 알게 된 것은 처음 만들었던
책 제목은 초고를 쓰는 동안 여러 번 수정을 한다는 것
이다. 처음 만들었던 책 제목을 책 출간까지 유지 되는
경우보다 수정하는 경우가 더 많았고 9(수정):1(유지)정
도 되었다.

책 제목에 처음부터 힘쓰지 말고 가볍게 만들고 책 내
용을 쓰면서 다듬어 가면 되는 것이다. 책 제목 가칭을
정하고 초고를 쓰면서 자신 분야와 비슷한 책들의 제목
을 참고하며 지금 사람들 좋아하는 트렌드에 맞는 제목
을 만들면 된다.

필자의 멘탈분야에 베스트셀러인 《나다운 방탄멘탈》 책
으로 이해를 시켜주겠다.
《나다운 방탄멘탈》 책 처음 제목이 <나다운 멘탈>이었
다. 나다운 멘탈 주제로 7단계 큰 목차로 구분을 해서
초고를 만들었다.

1단계 나다운 순두부멘탈
2단계 나다운 실버멘탈
3단계 나다운 골드멘탈
4단계 나다운 에메랄드멘탈
5단계 나다운 다이아몬드멘탈
6단계 나다운 블루다이아몬드 멘탈
7단계 나다운 방탄멘탈

퇴고(원고를 고쳐 쓰는 단계)를 하고 탈고(원고를 마무리하는 단계)를 하는 중 한창 BTS(방탄소년단)그룹이 전 세계적으로 이슈가 되고 있었다. 어느 날 멘탈에 대해서 아내와 소통을 하는 중 우주에서 가장 사랑스러운 아내가 이런 말을 했다. "나다운 멘탈이 추구하는 본질이 자신 멘탈을 외부로부터 보호를 먼저 해야만 멘탈 높이는 방법들이 효과가 있다면 지금 방탄소년단이 트렌드이니까 방탄을 제목에 넣어서 나다운 방탄멘탈로 하면 어때?"라는 말에 피카츄 300만 볼트 전기 충격을 받았다.

장기, 바둑도 훈수 두는 사람이 더 잘 보이듯이 필자가 보지 못한 것을 우주에서 가장 존경하는 아내가 본 것이다. 그래서 《나다운 방탄멘탈》 책이 출간과 동시에 멘탈 분야 베스트셀러가 될 수 있었다.

간단히 정리를 하면 첫 번째는 책 제목 가칭을 가볍게 만들기. 두 번째는 초고를 쓰면서 시중에 있는 자신 분야 책들을 참고. 세 번째는 지금 사람들에게 이슈 되는 트랜드 읽기. 네 번째는 퇴고, 탈고하면서 책 제목 최종적으로 다듬기.

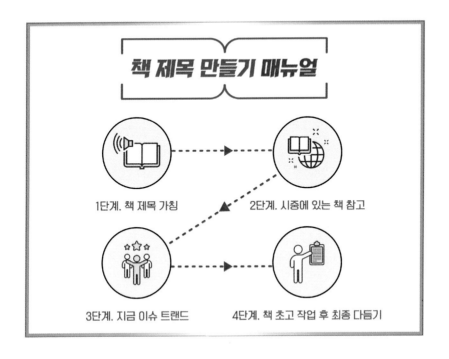

20,000명 심리 상담, 코칭, 종이책 150권, 전자책 250권 총 400권 책을 출간하면서 알게 된 것은 시대 흐름에 맞게 독자들이 선호하는 책 콘셉트가 있었다. 책 콘셉트는 스마트폰 시대 전과후로 나누어진다.

스마트폰이 없던 시대에는 책 콘셉트가 책 내용에 글만 있어도 괜찮았다. 그 이유는 글만 있는 책들이 대부분이고 생활 속에서 화려한 이미지, 영상에 노출되는 것이 한정되어 있었다.

하지만 지금은 어떤가? 스마트폰 시대에 하루 만에도 유튜브, 인스타그램, SNS 등으로 인해 수 백 개, 수 천 개의 화려한 이미지, 영상으로 눈이 아플 정도로 노출이 되고 있다. 이런 환경 속에서 책 콘셉트가 이미지는 하나도 없고 글만 있다면 책을 안 보는 사람들이 더 많아지고 책을 더 멀리하게 된다.

책을 좋아하는 사람들은 이미지가 있건 없건 책을 본다. 하지만 책을 좋아하지 않는 사람들은 이미지가 있어야 책을 보는데 좀 더 수월하다는 것이다. 책을 출간하려는 사람들은 책의 기본 사명감이 있어야 한다.

출간한 책으로 돈을 버는 것도 좋지만 자신 책으로 인해서 많은 사람들에게 도움, 영감, 삶의 지혜를 주어 지금 보다 나은 삶을 살아가기 위한 내비게이션 역할을 해줄 수 있는 책 출간을 해야 한다.

책을 보는 사람들을 타깃층 대상으로 책 내용을 쓰는 건 기본이지만 좀 더 나아가 책을 보지 않는 사람들, 책을 싫어하는 사람들이 우연히 자신 책을 봤을 때 "어라! 책 한 페이지만 봐도 졸음이 쏟아지는 사람이었는데 나에게는 책이 수면제였는데 이 책은 이미지, 스토리텔링도 많아서 끝까지 보게 된다. 태어나서 처음으로 끝까지 읽은 책이다. 독서에 눈을 뜨게 한 책이다. 이 작가에게 너무 고맙다."라는 말을 들을 수 있는 책을 출간하기 위한 책 콘셉트를 잘 잡아야 한다.

앞에서 필자의 책을 보고 "태어나서 처음으로 끝까지 읽은 책이다. 독서에 눈을 뜨게 한 책이다."라고 말했던 사람들에 말이 책이 많이 팔리는 기쁨 보다 1,000배는 더 기쁘고 행복했고 내가 살아가는 이유, 내가 존재하는 이유를 느끼게 해주었다. "나의 1%가 누군가에게는 살아가는 이유 100%가 될 수 있다."라는 말을 실제 경험했던 상황이었다.

솔직히 책을 좋아하는 1%들은 글만 있는 것을 더 선호한다. 하지만 대부분 사람들은 글만 있는 것을 싫어한다. 스마트폰으로 인해서 이미지, 영상, 화려함에 중독이 되어 있기 때문이다. 이런 환경 속에서 한 명이라도 자신 책을 읽게 만들기 위한 책 콘셉트가 중요하다고 강조하는 것이다.

그런데 안타깝게도 세계 어느 나라건 출판계 현실이 몇천 년이 지나도 책 콘셉트가 변하지 않고 있다. 지금 4차 산업 시대, AI 시대, 챗 GPT 시대 등 빠르게 변하고 있는 상황 속에서 몇천 년 전 책 콘셉트와 지금과 별차이가 없고 극단적인 표현을 하면 똑같다는 것이다.

이미지를 보듯이 BC 2700년경 인류 최초의 '점토판' 책과 2024년 지금 책 콘셉트를 보면 비슷하다 못해 똑같다는 것이다. 책 재질인 흙, 종이, 잉크 차이 빼고는 똑같다는 것이다. 어떤 생각이 드는가? 고정형 마인드와 성장형 마인드를 가진 사람 차이를 알려 주겠다.

고정형 마인드를 가진 사람들은 "몇 천 년이 지나도 책 콘셉트는 변하지 않는다. 아무리 스마트폰으로 인해서 이미지, 영상, 화려함에 중독이 되어 있어도 책은 좋아하는 사람만 보기에 앞으로 책 콘셉트는 글만 쓰면 되겠다."

성장형 마인드를 가진 사람들은 "몇 천 년이 지나도 책 콘셉트가 변하지 않았다. 스마트폰으로 인해서 이미지, 영상, 화려함에 중독이 되어있는 환경에서 앞으로 화려함에 중독되어 가는 것이 더 심하면 심했지 덜하지는 않을 것이다. 지금 환경, 사람들 심리에 맞춰 책 콘셉트를 글과 이미지를 잘 조합해야겠다. 그래야만 다른 책과 경쟁에서 살아남을 수 있다."

자신은 고정형 마인드를 가진 사람인가? 성장형 마인드를 가진 사람인가? 가슴에 찔림이 있다면 변화할 기회가 온 것이고 가슴이 두근두근 거린다면 행동할 기회가 온 것이다.

가슴이 벅차 오른 다면 방탄book기술력(6가지 수입 창
출 시스템 교육) 코칭 받을 기회가 온 것이다. 지금 낭
장 상담받길 바란다!
♥ 최보규 방탄book기술력 창시자 010-6578-8295 ♥

#. 세계 3대 혁신이 있다.
- 첫 번째, 스마트폰 혁신
· 1876년 미국의 알렉산더 벨(Alexander G. Bell)
· 2007년 스티브 잡스 아이폰 (아이팟 + 인터넷 + 폰)
- 두 번째, 자동차 혁신
· 1886년 세계 최초 가솔린 자동차 / 칼 벤츠가 발명한
'페이턴트 모터바겐'
· 2024년 벤츠 전기차
- 세 번째, 출판계 혁신
· **인류 최초의 책 '점토판' BC 2700년경**
· 방탄book기술력(수입 창출 6가지 방법)

지금 당신이 보고 있는 이 책이 세계 최초로 출판계의
혁신인 방탄book기술력이다. 지금 당신에게 천재일우
(천 년에 한 번 만난다는 뜻으로 좀처럼 만나기 어려운
기회) 온 것이니 조상님에서 감사하고 "내가 인생을 지

금까지 잘 살아서 이런 기회가 오는구나."라는 마음으로 제대로 배워서 자신을 알고 있는 사람들에게 필요한 사람이 되길 바란다.

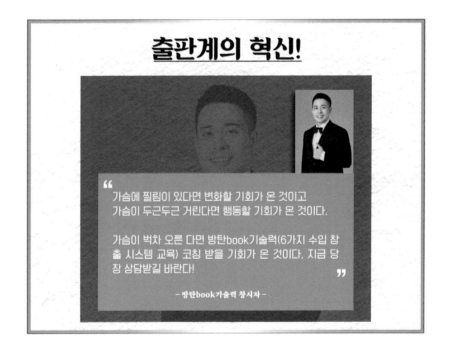

세계 3대 혁신!

스마트폰 혁신

1876년
미국의 알렉산더 벨(Alexander G. Bell)

2007년 스티브 잡스
아이폰 (아이팟 + 인터넷 + 폰)

자동차 혁신

1886년 세계 최초 가솔린 자동차
칼 벤츠가 발명한 '페이턴트 모터바겐'

2024년 벤츠 전기차

세계 최초! 출판계 혁신!

인류 최초의 책 '점토판'
BC 2700년경

2024년 현재

인류 최초의 책 ~ 24년 현재 책 차이점?
책 재질인 점토, 종이 차이 빼고는
글씨만 있는 것은 똑같다.

방탄BOOK기술력
수입 창출 6가지 방법

Google 자기계발아마존   ▶YouTube 방탄자기계발   NAVER PPT로책출간   NAVER 최보규

20,000명 심리 상담, 코칭, 종이책 150권, 전자책 250권 총 400권 책을 출간하면서 알게 된 사람들이 선호하는 책 콘셉트를 설명하겠다.

첫 번째, 글만 있는 책 콘셉트.

시중에 있는 책 90%가 글만 있는 책 콘셉트이다. 오해하지 말고 들었으면 한다. 글만 있는 책이 나쁘다고 말하는 것이 아니다. 앞에서 언급했듯이 몇 천 년이 지나도 책 콘셉트가 변하지 않고 있다는 것을 말하고 싶은 것이다. 글만 있는 콘셉트는 책을 좋아하는 사람들에게는 상관이 없다. 글만 있는 콘셉트가 익숙하기 때문이다. 하지만 책을 좋아하지 않는 사람들에게는 글만 있는 책 콘셉트는 독서에 중요성만 알고 있는 사람들에게는 늘 좌절하게 만든다. 시도는 늘 한다. 글만 있는 책 콘셉트는 늘 좌절하게 만들어 독포자(독서 포기자)가 되어가는 안타까운 상황이 벌어진다.

두 번째, 글과 글을 뒷받침해 주는 스토리텔링.

글 빨, 글 내공이 있는 작가라면 충분히 자신의 스토리만으로도 책 내용 전달이 되어 책을 이해하는데 문제가 없다. 하지만 글 빨, 글 내공이 없는 작가들이 90%이다. 작가의 스토리로는 독자들에게 책 내용 전달이 쉽지 않고 이해력도 떨어진다. 그래서 글 빨, 글 내공이 없고 책을 많이 써보지 않은 사람이라면 독서, 영상, SNS 등에서 나오는 스토리텔링을 자신 글과 접목을 하면 된다. 자신 글에 날개를 달아주는 것이 기준에 있는 스토리텔링을 융합하는 것이다. 그러기 위해서는 평상시 스마트폰을 최대한 활용해야 한다. 하루 만에도 수 백 개, 수천 개의 영상, 이미지, 좋은 글, 좋은 메시지 등을 본다. 캡처하거나 글을 복사해서 메모장에 저장해 두었다가 책 쓸 때만 활용(저작권 위반 사항 주의) 하는 것이 아니라 힘들고 지칠 때 한번 씩 보면 도움이 되고 지인들과 대화하다가 도움이 되는 메모가 생각이 나면 보내줄 수도 있다. 필자의 7,000개 메모가 종이책 150권, 전자책 250권 총 400권을 출간하는데 기초가 되었다.

세 번째, 글과 글을 뒷받침해 주는 스토리텔링이 99℃ 물이라면 1℃를 올려 끓게 만드는 건 이미지 디자인.

사람은 시각적인 동물이다. 시각적인 효과가 95%를 차지한다. 지금 시대는 숏폼으로 인해서 집중도가 더 낮아지고 있다. 이런 현실 속에서 책을 쓰는 사람이라면 독자들에 집중력까지 감안해서 집중력을 끌어올릴 수 있는 책 콘셉트를 잘 정해야 한다.

지금 어떤 시대에 살고 있는가? 스마트폰으로 인해서 하루만 해도 영상, 이미지, 글... 눈이 아플 정도로 화려한 것을 수 만개는 본다. 한마디로 지금 시대 사람들의 평균 시각적인 수준이 높다는 것이다. 이런 상황에서 글만 있는 책이라면 집중도가 떨어진다. 호기심을 유발, 궁금증 유발 "이런 디자인은 처음 보는데 너무 신선하다. 러셔리하다."라는 마음이 들어서 보고 싶도록 이미지도 있어야 집중도가 올라간다. 다음은 지금 현실 속 사람들의 집중력에 대한 내용이다.

겨우 8초, 금붕어보다 못한 인간의 집중력
소위 'MZ'라고 불리는 요즘 젊은 세대는 어렸을 때부터 늘 새로운 자극으로 가득한 디지털 환경에 노출된 채 자랐다. 그래서인지 한 가지 주제에 오랫동안 집중하기 상당히 어려운 뇌 구조를 지녔다고 한다. 뭔가에 집중할 수 있는 시간(Attention Span)에 관한 연구를 살펴보자. 아동이 주의해서 집중할 수 있는 시간은 얼마나 될까? '자신의 나이×1분' 정도라고 한다. 6세 어린이는 약 6분 정도 집중할 수 있다는 뜻이다. 이 시간은 개인에 따라 차이가 있고, 몰입하면 10~15분까지는 늘어날 수 있다. 너무 지루하지도 않고 그렇다고 아주 재미있지도 않은 평범한 수업을 하고 있다고 하자. 십 대 학생들은 보통 수업을 듣기 시작하면 약 10분 후부터 집중력이 떨어진다. 일반적으로 이들이 뭔가에 주의해서 집중할 수 있는 시간은 20분을 넘기기 어렵다. 따라서 수업 시작 후 10~20분이 지나면 신경전달물질이 고갈된 학생들은 이내 집중에 어려움을 느끼고 주의가 산만해진다. 그래서 유튜브 영상의 평균 길이는 15~20분이고, 테드(TED) 강연 길이는 18분이다. 집중력을 감안해 메시지를 확실히 전달하기 위한 시간이다. 드롭박스의 마케팅 신화를 쓴 실리콘밸리 최고의 마케터 션 앨리스(Sean Ellis)가 한 말을 약간 각색하여 들어보자.

"고객의 주의집중을 원하신다고요? 사업 규모의 확장을 위해서는 시장이 원하는 언어를 사용해야 합니다. 언어의 시장 적합성이 무엇보다 중요하죠. 잠재 고객의 마음을 움직일 수 있는 말을 상상해 보세요. 당신이 만든 제품을 고객이 마주할 때 어떻게 해야 가장 효율적으로 전달할 수 있을지 생각해 보셨나요? 고객이 좋아하지 않는 언어로 구애한다면 실패입니다. 제품 가치를 알아줄 상대방이 없는 곳에서 헛스윙을 하는 거라고 생각하면 됩니다." 여기서 왜 고객의 마음을 끌어당길 언어에 몰두해야 하는지 그 이유가 나온다. 스마트폰이 생기기 전 고객이 광고에 집중할 수 있는 시간은 12초였다. 이제는 8초로 뚝 떨어졌다. 9초인 금붕어보다 못하다.

주의집중 시간의 변화
12초 - 2000년 인간의 평균 주의집중 시간
8초 - 2015년 인간의 평균 주의집중 시간
9초 금붕어의 주의집중 시간

인간의 평균 주의집중 시간 인간의 평균 주의집중 시간 금붕어의 주의집중 시간 왜 이런 일이 발생했을까? 주변의 수많은 자극에 적응하다 보니 주의력이 줄어들었다는 것이 통설이다. 생각해 보라. 우리는 매일매일 넘치는 정보의 홍수 속에서 살아가고 있다. 수시로 오는 문자와 카카오톡 메시지, 귀찮아 들여다보지도 않는 이메일처럼 하루하루 우리의 신경을 산만하게 하는 요소가 차고 넘친다. 그 결과 집중해서 주의를 지속하는 시간이 줄어드는 것은 당연한 결과다. 게다가 여러 일을 한꺼번에 하는 멀티태스킹형 업무 방식에 길들여진 젊은 세 대에게 이런 현상은 더욱 심각하게 다가올 수밖에 없다.

뇌 신경세포를 뜻하는 뉴런과 마케팅의 합성어인 뉴로
마케팅(Neuro Marketing)의 연구 결과를 보자. 브랜드
의 색상이 소비자로 하여금 다양한 감정을 불러일으킨
다고 한다. 소비자들이 상품을 구매하는 데 있어 시각적
효과가 약 95%를 차지한다고 하니, 디자인과 색감이 큐
레이터에게는 아주 중요하다.

색은 브랜드를 인식하는 강력한 수단으로, 그리고 소비
자의 신뢰를 확보하는 무기로 작용한다. 빨간색 코카콜
라와 초록색 스타벅스 로고가 소비자의 지갑을 열게 하
는 강력한 마케팅 도구로 활용되고 있다는 것은 마케팅
세계에서는 익히 아는 이야기다.

《감정 경제학》

금붕어의 집중력이 9초인데 지금 시대 사람들의 집중력
이 8초라는 말이 씁쓸하기만 하다. 지금시대 사람들의
심리를 알려주는 내용이었다.

어떤 분야든 지금 시대 사람들의 상태, 심리를 알아야만
공격적으로 영업, 마케팅을 할 수 있고 자신 분야 제품
을 알릴 수 있는 것이다.

시각적인 효과가 95%를 차지한다는 것은 어마어마한 것이다. 그래서 책 콘셉트에 디자인이 중요하다고 말을 하는 것이다. 다시 한 번 강조하겠다. 사람들이 선호하는 책 콘셉트는 작가의 글을 뒷받침해주는 스토리텔링에 핵심 정리를 시켜줄 이미지 디자인이다.

예시)

작가 글(세 번째, 작가의 글을 뒷받침해 주는 스토리텔링이라는 99℃ 물에서 1℃를 올려 끓게 만드는 이미지 디자인)+ 스토리텔링(금붕어 스토리텔링)+ 이미지 디자인

대부분 작가들이 초고는 최대한 빠르게 작업해야 한다고 알고 있다. 시중에 있는 책 쓰기 책, 책 출간 책들을 보면 평균적으로 말하는 초고 기간은 1년, 6개월, 3개월, 1달 안에 해야 된다. 라고 알고 있다. 될 수 있으면 초고를 빠른 시간 안에 끝내는 게 좋다. 그 이유는 글빨, 글 영감이 한번 집중해서 쓸 때 잘 나오고 글이 살아나기 때문이다. 초고 쓰는 기간이 길어지면 글을 쓰는 동기부여도 약해져서 책을 쓰는 열정이 식기 때문이다.

20,000명 심리 상담, 코칭, 종이책 150권, 전자책 250권 총 400권 책을 출간하면서 알게 된 것은 초고를 빠르게 작업해야 된다는 말은 49%만 맞다. 51%는 아니다. 49%만 맞는 이유는 책 쓰기, 책 출간이 직접적으로 자신 직업과 연관이 되어 시간의 여유가 없고 돈을 벌기 위함이라면 최대한 빠르게 단시간 안에 초고 작업을 끝내는 게 맞다. 하지만 책 쓰기, 책 출간이 직접적으로 자신 직업과 연관이 없고 시간적 여유가 있는 책 쓰기, 책 출간이라면 시간이 걸리더라도 상관은 없다. 자신 스타일, 자신 상황에 맞는 초고 작업을 하면 되는 것이다.

평균적으로 초고 내용 작업은 한글 파일(HWP)에서 한다. 출판사마다 원고 기준이 다르지만 평균적으로 초고 기준을 알려주겠다.

한글 파일(HWP) → 편집 → 쪽 여백 → 쪽 여백 설정 → A4(국내판:210*297mm) → 용지 방향 세로 → 제본 맞쪽.

글자체: 바탕
글씨 크기: 10pt
줄 간격: 160%
장평 100%
사진 포함 시 '문서에 포함' 체크

쪽수는 100쪽 이상 써야지만 평균 책 한 권 250페이지 양이 나온다.

초고때 한글 파일(HWP) 100쪽에 써야 된다. 1쪽을 하루, 3일, 1주일 등으로 나누어 초고를 써야 한다. 1주일에 1쪽씩 쓴다고 가정했을 때 1년이 총 52주이기 때문에 52쪽이 나온다. 1주일에 2쪽이면 104쪽이 나온다.

초고를 쓸 때 가장 중요한 것이 있다. 대부분 책 쓰기 책들이 말하는 것은 "표준어를 써야 되고 비속어는 쓰면 안 되며 사투리, 욕이 들어가면 안 되고... 등 자연스럽게 읽을 수 있고 거부감 없는 말투로 써야 된다."라고 나와 있다.

필자가 경험상 어떤 책이냐에 따라 다르다고 생각한다. 교재나, 학습용, 교육용, 전문 지식을 전달하는 책을 쓴다면 당연히 자제를 해야 되지만 대부분 일반적인 책이기에 일반적인 책이라면 표준어에 맞춰서만 쓰면 되는 것이다. 특히 처음 책을 쓰는 사람이라면 더더욱 힘들 것이다. 몇 글자 쓰고 맞춤법 검사기로 표준어 검사해서 쓴다면 몇 백 년은 걸릴 것이고 책 한 권 쓰다가 인생 끝난다.

초고를 빠른 시간에 쓰면 좋겠지만 글 빨, 글 내공이 있지 않는 한 머리에 뒤죽박죽 섞여 있는 내용을 글로 옮긴다는 게 어렵다. 사람마다 다를 수 있지만 필자는 책 10권을 출간 했을 때 글 빨, 글 내공이 나왔다. 방탄 book기술력 코칭 해보면 코칭 받는 사람들이 늘 하는 말이 있다. "머리에는 있는데 글로 표현하려니 잘 안됩니다."라는 하소연을 하는 사람들이 많았다. 누구나 겪는 인고의 시간이다. 그 시간을 극복해야만 글 빨, 글 내공이 나오는 것이다.

방탄book기술력 코칭 할 때 알려주는 팁을 한가지 오픈 하겠다. 머리에 있는 내용이 글로 표현하기가 어려울 때 최고의 방법은 녹음을 한 다음 녹음 한 것을 필사하면 된다. 필사하는 것 또한 쉽지 않다. 녹음한 것을 플레이 하고 정지해서 한 문장 필사하고 계속 반복한다는 것이 쉽지는 않다. 그래서 도구를 사용 하면 되는데 녹음했던 파일을 텍스트로 변환해 주는 프로그램을 사용 하더라 도 정확도가 떨어지기에 다시 체크를 해야 한다. (네이 버 검색: 클로바 노트)

필사 목적이 오로지 책을 출간하기 위한 동기부여만 있 다면 금방 지친다. 그래서 여러 가지 필사 동기부여를 해야 한다. 책을 출간하는 동기부여도 있지만 머리에 있 는 것을 말로 하면 1차로 정리가 되고 필사를 하면 2차 로 정리가 되어 핵심 내용이 다듬어진다. 자신 전문 분 야를 필사한다면 매뉴얼, 자료화가 만들어져서 진정한 전문가로 거듭나고 자신 분야 삼성(진정성, 전문성, 신뢰 성)이 향상된다.

짝퉁 전문가는 말로만 설명한다. 설명도 정리가 되지 않 아 어렵게 말한다. 명품 전문가는 설명도 쉽게 하지만 글을 통해 매뉴얼, 자료화를 만든다. 필사를 많이 하거나 책을 많이 쓰는 사람들 특징은 말을 조리 있게 잘하고 상황, 상대방을 이해하는 능력이 좋다. 스피치에서는 당당함, 자신감, 열정이 느껴진다. 필사는 인고의 시간이 필요하지만 인고의 시간만큼 얻어 가는 것이 많다는 것을 명심하자.

#. 초고를 잘 쓰려면 5가지를 해야 한다.
1. 표준어는 잊고 그냥 써라!
2. 사투리는 신경 쓰지 말고 그냥 써라!
3. 비속어 신경 쓰지 말고 그냥 써라!
4. 욕 신경 쓰지 말고 그냥 써라!
5. 생각나는 대로 그냥 써라!

초고는 평상시 가족들과, 친한 친구들과 대화하는 말투로 쓰면 된다. 그래야 부담 없이 머리에 있는 것이 나온다. 초고를 다 쓰면 교정, 교열은 전문가에게 맡기면 된다. 처음 책 쓰는데 너무 힘들게 쓰지 말라는 것이다.

정성스럽게 온 힘을 다해서 어렵게 쓰는 책과 대충 쓰는 책을 대하는 태도가 다르겠지만 처음부터 이것저것 신경을 너무 많이 써서 초고를 쓰면 빨리 지친다. 자신 전문분야가 아닌 일반 책을 쓸 거라면 힘을 빼고 쓰는 게 좋다.

마라톤 풀코스를 뛰어보고 알게 된 것이 있다. 마라톤에서 가장 중요한 것이 나다운 페이스다. 자신을 앞서가는 사람들 주위 사람들을 의식하는 페이스는 완주를 못한다. 초고 쓰기 완주를 하기 위해서는 나다운 글쓰기 페이스가 중요하다는 것이다.

방탄book기술력을 코칭 할 때 늘 하는 말이 있다. "최보규 방탄book기술력 창시자와 함께 한다면 온 힘을 다해, 온 정성을 다해 3대까지 가는 책을 쓰기 위해 집중해야 되지만 혼자 책을 쓴다면 동기부여해 줄 사람이

없기에 닥고(닥치고 무조건 고고고)해야 합니다. 방탄 book기술력을 만난 건 천재일우(천 년에 한 번 만난다는 뜻으로 좀처럼 만나기 어려운 기회)라 생각하시고 믿고 따라오시면 됩니다. 책 쓰기, 책 출간, 인생 페이스메이커가 되어 주겠습니다."

**20,000명 심리 상담, 코칭으로 알게 된
20,000명이 바라는 책 쓰기, 책 출간 교육, 코칭**

 10가지

1 한번 출간한 책으로 평생 활용하는 방법을 알려주는 교육, 코칭

2 로또 2등과 같은 기획출판을 하기 위해서 출판기획서 제작 스트레스, 거절 메일을 확인 하는 스트레스, 370가지 스트레스... 등 마음고생 덜 하고 책 출간할 수 있는 책 쓰기 교육, 코칭

3 책 활용 수입 창출 시스템 교육을 검증 된 전문가에게 한 곳에서 시간, 돈 낭비를 줄여주는 책 쓰기 교육, 코칭

4 한번 코칭으로 100년 a/s, 피드백, 관리해주는 책 쓰기 교육, 코칭

5 책 출간 후 자신 분야 삼성(진정성, 전문성, 신뢰성)을 높여 자신 분야 내공, 가치, 몸값까지 올릴 수 있는 책 쓰기 교육, 코칭

6	출간한 책으로 강사가 되어 은퇴 후 제2의 직업을 할 수 있는 책 쓰기 교육, 코칭
7	책 출간 후 자신 분야 코칭 전문가가 되어 은퇴 후 제3의 직업까지도 할 수 있는 책 쓰기 교육, 코칭
8	책 출간 후 온라인 콘텐츠까지 제작을 해서 비수기 없는 책 쓰기 교육, 코칭
9	책 출간 후 디지털 콘텐츠까지 제작을 해서 월세, 연금성 수입까지 발생시킬 수 있는 책 쓰기 교육, 코칭
10	책 한 권 출간하고 끝나는 것이 아니라 100년 동안 책을 무한대로 출간 할 수 있는 책 쓰기, 책 출간 기술력을 교육, 코칭

책 쓰기, 책 출간 교육, 코칭은 누구나 한다.
6가지 수입 창출 책 쓰기, 책 출간
교육, 코칭은 방탄BOOK 창시자 뿐이다.

6.퇴고, 탈고
(종이책 출간을 위한 최종 점검)

책 출간을 위한 체크리스트

☑ 오타 확인

☑ 이미지 삽입 후 위, 아래, 좌, 우 간격 확인

☑ 머리말 입력

☑ 목차 입력

☑ 목차 페이지 번호 입력

☑ 참고문헌, 출처 정리

☑ 원고 마지막 장 판권지 입력

3) 퇴고, 탈고의 본질

한글(HWP)원고 작업에 마지막 단계인 퇴고, 탈고다.

책 쓰기 5단계
원고 → 초고 → 퇴고 → 탈고 → 투고

원고는 책을 쓰기 위한 한글(HWP)원고 기본 규격 세팅 단계다.
초고는 초벌로 쓴 원고다.
퇴고는 원고를 고쳐 쓰는 단계다.
탈고는 원고를 마무리하는 단계다.
투고는 마무리 한 원고를 출간하기 위해 출판사에 보내는 단계다.

투고의 해석 "내 원고 한번 읽어 보고 대중적으로 인기가 있을 거 같거나 돈이 될 거 같으면 1,000만 원 ~ 3,000만 원 투자해서 출간 해주세요." 라는 직설적인 의미가 있다.
이것을 로또 2등과 같다고 하는 기획출판이라고 한다. 그래서 아무나 기획출판을 하지 못한다. 필자의 대표적인 기획 출판의 책이 《나다운 방탄멘탈》이다. 300개가 넘는 출판사에 출판 기획서를 만들어서 보냈다. 거절 메일이 몇 개가 왔을 거 같은가? 누군가는 투고 스트레스 때문에 원형 탈모가 오고 소화불량, 우울증까지 걸린 사람도 있다. 당연한 것이다. 1,000만 원 ~ 3,000만 원 (책 한 권 작업하는 모든 비용인 인건비, 책 부수, 홍보비, 유통비, 물류비...)을 투자해 주는데 아무나 기획출판을 해주겠는가? 출판사에서는 리스크를 감수하고 기존에 경험과 가능성으로 기획출판을 하기 위해서 신중에 신중할 수밖에 없다. 하루 만에도 대형 출판사에 평균 투고 원고가 100개 이상이 온다고 한다.

그래서 대부분 책 출간하는 사람들이 자비출판, 대필 출판을 한다. 돈만 있으면 투고 스트레스 없이 책을 출간할 수 있기 때문이다. 그래서 시간의 여유가 없고 책 쓰기를 해보지 않은 사람들, 국회의원, CEO, 유명인사들 대부분이 대필 출판을 한다. 대필 출판이 불법, 이상한 것이 아니다. 머릿속에 있는 내용을 말로는 하기 쉬운데 글로 쓰고 정리하는 것이 힘들기에 대필 전문가에게 의뢰를 해서 책을 출간한다. 자비 출판은 자신이 써 놓은 원고가 있는 상태에서 100만 원 ~ 500만 원 들어가고 대필 출판은 원고가 없어도 가능하며 기본 400만 원 ~ 1,000만 원까지 들어간다. 대필 출판은 책 출간이 아니라는 말이 있다.

'책을 출간 한다.'기 보다는 '책을 산다.'라는 말이 더 가깝다. 그래서 원고를 직접 써본 사람과 안 써본 사람 차이는 하늘과 땅 차이다. 대필 출판인지 아닌지 알 수 있는 방법이 있다. 그것은 방탄book기술력 코칭 때 배우게 된다.

책을 한 권 출간하면 2권 ~ 3권을 출간할 수 있는 가능성이 생기고 2권 ~ 3권을 출간하면 10권을 출간할 수 있는 가능성이 생기며 10권을 출간하면 100권을 출간할 수 있는 가능성이 생긴다. 한마디로 한 가지를 이루면 더 큰 것을 이룰 수 있는 개미 성취감이 누적되어 상상할 수 없는 결과가 나오는 것이다.

필자가 종이책 150권, 전자책 250권 총 400권 출간할 수 있는 비결 중에 한 가지가 독립(개인, 자가)출판인 방탄book기술력으로 출간 했다는 것이다.

지금 당신이 보고 있는 이 책의 내공, 가치 값어치가 책 값의 1억 배는 가져간다는 것을 명심해야 한다. 단언컨대 대한민국, 세계 어디에서도 방탄book기술력을 배울 수 없다. 오직 방탄book사관학교에서만 가능하다.

4) 책 출간을 위한 체크리스트

- 오타 확인 (오타 체크를 하면 할수록 계속 나오는 이유)

다음은 오타 체크를 하면 할수록 계속 나오는 이유가 왜 그러는지 깨닫게 해주는 내용이다.

출간 후 대놓고 보이는 오타! 왜 여러 번 퇴고해도 못 찾을까? 읽지 않고 보기 때문이다. 내가 쓴 글은 이미 내용을 잘 알고 있다. 이 문장 다음에 무슨 내용이 나올지 이미 안다. 출판사 교정 교열 담당자도 마찬가지. 여러 차례 반복해서 읽다 보면 자연스럽게 내용이 외워진다. 그렇게 되면 '읽는다.'고 생각하지만 착각이다. 실제로는 그저 눈으로 '보기만' 한다.

글 전체를 텍스트가 아니라 하나의 이미지로 인식하는 것이다. 그러니 첫 줄부터 대놓고 오타가 있어도 발견하지 못하는 일이 생긴다. 남이 쓴 글에 오타가 잘 보이는 이유기도 하다. 내용을 모르니 자세히 '읽기' 때문이다.

이것이 퇴고 과정에서 한 번은 소리 내어 읽어야 하는 이유다. 김영하 작가님의 책 <보다 읽다 말하다>라는 제목이 정답을 말하고 있다. 보지 말고 입으로 소리 내어 읽어야 한다.

<네이버 블로그 카루의 프리랜서 라이프>

오타 체크하는 방법이 여러 가지가 있다. 필자가 하는 방법을 소개하겠다. 네이버 맞춤법 검사, 한국어 맞춤법/문법 검사기다. 가장 많이 사용하는 것이 네이버 맞춤법 검사기다. 100% 정확하지는 않지만 간접적인 퇴고하기 위한 오타 체크로는 쓸만하다.

필자가 하는 방식은 이렇다.

1차로 작업해 놓은 원고 내용을 복사해서 네이버 맞춤법 검사기에 300자 이하로 붙여 넣기 하고 몇 백번 반복으로 전체 원고 오타 체크한다. 2차로 직접 목소리를 내면서 읽고 오타 체크를 한다. 3차로 원고 전체 인쇄를 해서 3자에게 오타체크를 부탁한다. (같은 분야 종사자, 책 분야 종사자, 아내, 친구, 지인...)

원고 퇴고는 오로지 글 오타 체크가 주목적이 아니다. 퇴고의 주목적은 자신이 쓴 글을 다시금 정리하고 다듬어서 자신 분야 삼성(진정성, 전문성, 신뢰성)을 향상, 선한 영향력을 끼치기 위한 인생, 사람들에게 도움이 되는 인생, 세상에 필요한 사람이 되기 위한 인생, 지혜로운 인생을 살아가기 위한 행동을 하게 만드는 작업이다.

퇴고를 편하게 하고 싶다면 교정, 교열 전문가에게 맡겨도 된다.

A4 기준 / 글자 크기 10 / 줄 간격 160%

장당 1,000원 ~ 10,000원

(100페이지: 1,000*100= 100,000원)

(100페이지: 5,000*100= 500,000원)

A5는 500원 ~ 5,000원

전문가 일지라도 100% 오타 체크가 되지 않는다. 1차 체크하고 받아서 자신이 체크하고 다시 보내면 2차 체크하고 자신이 체크하는 식으로 3차까지 하고 3차 이후에는 추가 비용이 발생한다.

한글(HWP)원고에 JPEG 파일을 삽입 하면 JPEG 이미지가 한글 규격 세팅해 놓은 규격대로 위, 아래, 좌, 우 변화 없이 삽입되는데 줄 간격은 맞지 않아서 이미지를 한 장씩 맞춰 줘야 한다.

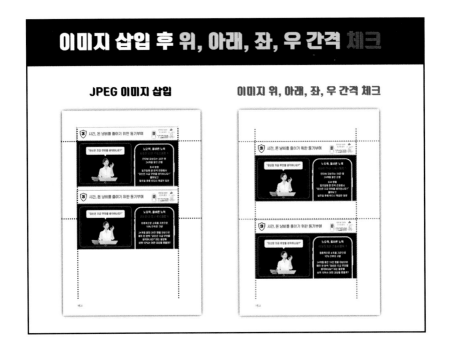

머리말의 국어사전 뜻.

책이나 논문 따위의 첫머리에 내용이나 목적 따위를 간략하게 적은 글. 말이나 글 따위에서 본격적인 논의를 하기 위한 실마리가 되는 부분.

〈국어사전〉

간단히 정리를 하면 책이 추구하는 목표, 방향이라고 생각하면 된다. 다음으로 나오는 2권의 책 머리말을 참고하자. 《300만원 동기부여 강의》, 《1조 리더십 강의》

방탄동기부여 PPT를《300만원 동기부여 강의》책으로 출간 했던 머리말.

머리말

세상에 동기부여 못하는 사람은 없다. 단지 동기부여 잘 하는 방법을 모를 뿐이다.

특허청 등록! 등록 번호: 제 40-2072344 호

[최보규 자기계발코칭 창시자]

20,000명 심리 상담, 코칭 / 15년 2,000권 독서

자기계발서 100권 출간 / 강사 15년, 강의 6,000회

7G 직업

(출판사 대표, 작가, 심리 상담사, 코칭 전문가, 강사, 유튜버, 한집의 가장)

45년간 습관 320가지 만듦...

많은 경력과 시행착오, 대가 지불, 인고의 시간을 통해 알게 된 동기부여를 세계 최초로 공개한다.

스마트폰은 사용하지 않아도 배터리가 소모되듯 동기부여 또한 숨만 쉬어도 소모가 된다. 누군가에 의해서 충전하면 하루(1일) 가지만 초고속 충전하는 방법을 알면 100년 지속할 수 있다.

어떤 강의에서도 말하지 못한 동기부여!

어떤 강사도 말하지 못한 동기부여!

어떤 책에도 없는 동기부여!
어떤 영상에서도 볼 수 없는 내용의 동기부여!

방탄리더십 PPT를 《1조 리더십 강의》책으로 출간 했던 머리말.

머리말

3고(고물가, 고금리, 고환율) 시대, 포노 사피엔스 시대, 4차 산업 시대, AI시대, 챗GPT 시대... 빠르게 변하는 현실 속에서 점점 더 힘들어지는 상황을 극복하고 차별화 리더십이 아닌 초월 리더십으로 업데이트하기 위한 방탄리더십 5단계 시스템!

1단계
노벨상 수상자 리더십, 성공한 리더의 리더십은 다 잊어라! 4차 산업 시대는 4차 리더십인 방탄 리더십 업데이트를 통해 천재지변 리더가 아닌 천재일우 리더

2단계
스트레스 관리, 마인드컨트롤이 잘 되는 리더 자존감, 멘탈 배터리 고속 충전하는 방법

3단계
삼성(진정성, 전문성, 신뢰성)을 높이는 습관을 통해 리더 행복 초고속 충전하는 방법

4단계

리더 자기계발, 동기부여책 200권, 영상 300개, 교육을 들어도 리더 자기계발, 동기부여가 안 되는 이유
5단계
퇴사를 막고 인재가 오래 머물게 하는 방탄 리더 품위 유지의무 10계명
리더는 누구나 하지만 방탄 리더는 아무나 못한다.
방탄 리더 1명이 10만 명을 변화시키고 먹여 살린다.
누구나 방탄 리더가 될 수 있었다면 난 절대로 방탄 리더를 선택하지 않았을 것이다.

어떤 강의에서도 말하지 못한 리더십!
어떤 강사도 말하지 못한 리더십!
어떤 책에도 없는 리더십!
어떤 영상에서도 볼 수 없는 내용의 리더십!

방탄 리더십 PPT는 목차 1 ~ 목차 6 까지 있다.

그림과 같이 PPT에 있는 목차를 그대로 한글 원고에 옮겨 쓰면 되고 목차 안에 세부적인 부 목차도 쓰면 된다. 방탄동기부여 PPT를《300만원 동기부여 강의》책으로 출간했던 목차를 참고하자.

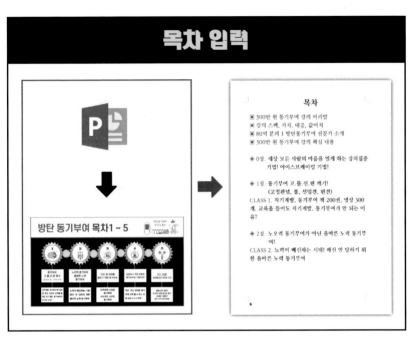

목차 입력

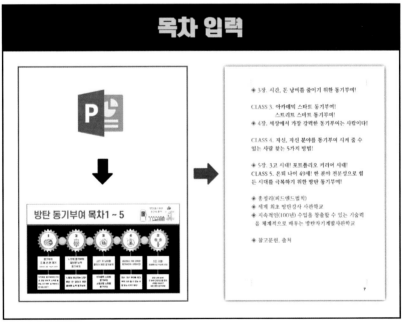

원고 1페이지부터 마지막 페이지까지 한 장씩 보면서 페이지 번호를 입력하면 된다. 페이지 번호가 틀리면 안 되기에 페이지 번호 입력한 다음에 한 번 더 확인해 주면 좋다. 방탄동기부여 PPT를 《300만원 동기부여 강의》 책으로 출간했던 목차 페이지 번호를 참고하자.

이미지, 스토리텔링, 책에서 발췌한 스토리텔링, 기사 내용, 보도 자료, 영상 정리한 내용, 유튜브 영상을 정리한 내용 등이 있다면 출처를 정확하게 밝혀야 한다.

출처를 남기지 않아 법적 조치(저작권법)를 당할 수도 있다는 것을 명심하자.

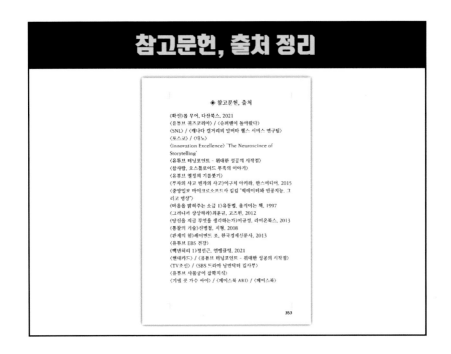

319

출판의 중요한 정보가 있는 마지막 페이지다.
bookk출판사 양식을 참고하고 이미지는 출간 승인 완료
된 《300만원 동기부여 강의》 책 판권지다.

어린 왕자(제목을 적어주세요)

발　행 | 2024년 00월 00일
저　자 | 생텍쥐 페리(저자명, 필명을 적어주세요)
펴낸이 | 한건희
펴낸곳 | 주식회사 부크크
출판사등록 | 2014.07.15.(제2014-16호)
주　소 | 서울특별시 금천구 가산디지털1로 119 SK트윈
타워 A동 305호
전　화 | 1670-8316
이메일 | info@bookk.co.kr

ISBN |

www.bookk.co.kr

6.퇴고, 탈고
(종이책 출간을 위한 최종 점검)

판권지

300만원 동기부여 강의
(동기부여 일타강사! 동기부여 사용 설명서!)

발 행 | 2023년 11월 11일
저 자 | 최보규
편 집 | 서윤희
디자인 | 최보규
마케팅 | 최보규
펴낸이 | 한건희
펴낸곳 | 주식회사 부크크
출판사등록 | 2014.07.15.(제2014-16호)
주 소 | 서울특별시 금천구 가산디지털1로 119 SK트윈타워 A동 305호
전 화 | 1670-8316
이메일 | info@bookk.co.kr

ISBN |

www.bookk.co.kr

354

출판사 등록 매뉴얼

자비출판이 1권 평균 300만 원 발생한다.150권 출간했다면 300*150=4억 5천만 원이 발생했을까? 아니다! 방탄book기술력이 있다면 0원이면 가능하다. <u>방탄book기술력이면 10권, 100권, 1.000권 출간도 0원으로 할 수 있다.</u>
<u>5단계로 쉽게 종이책을 출간할 수 있는 방탄book기술력</u>을 세계 최초로 공개한다.

1) 자비출판이 1권 평균 300만 원 발생한다. 누군가는 100권 출간하는데 300,000,000원이 들어가고 누군가는 100권 출간하는데 0원이 들어간다.

필자가 방탄book기술력을 통해 부크크출판사(종이책, 전자책), 유페이퍼(전자책)에서 3년 동안 종이책 150권, 전자책 250권 총 400권을 등록하고 출간할 수 있었던 부크크출판사의 등록 매뉴얼을 시작하겠다.

시중에 출판사 90%가 책을 대량으로 생산한 후 재고를 판다. 그래서 자비출판이 기본 300만 원부터 시작을 하는 이유다. 부크크출판사(자가출판)는 출판 비용이 0원인 이유가 POD(책을 미리 생산하지 않고 주문이 들어오면 필요한 수량만 생산 시스템) 시스템이어서 가능하다.

종이책 등록 매뉴얼, 출판사 등록 매뉴얼을 배우기 위해서는 가장 먼저 등록할 출판사의 운영 방식을 알아야 된다. 다음은 부크크출판사(자가출판)의 운영 방식내용이다.

POD, 자가출판 플랫폼 "부크크(BOOKK)"
대량으로 책을 생산한 후 재고를 판매하는 방식으로 운

영되던 출판 산업에 새로운 변화를 가져온 출판 플랫폼 '부크크'

책을 먼저 생산하고 고객에게 주문을 받아서 판매하던 방식을 고객이 주문한 다음 수량에 맞게 생산해서 판매하는 방식 필요한 만큼의 책 제작이 가능해져, 재고 부담과 보관비용이 사라졌습니다. 출판 비용도 '0'원이 되었습니다.

이로써 세상에 알려지지 않았던 소중한 이야기들이 한 권의 책으로 탄생할 수 있게 되었습니다.

그렇게 10년이 흐른 지금 출간 도서 31,618종, 출간 저자 28,867명 이야기들이 ISBN 발급받은 한 권의 책이 되어 다양한 독자들에게 전해지고 있습니다.

원고와 표지 디자인만 있다면 부크크에서 출판이 가능합니다! 대부분의 경우 논스톱 출판이 가능하지만, 특별한 경우에는 반려되기도 해요. 반려 사유 수정 후 다시 제출해 주시면, 재심사를 도와드립니다. 교정&교열, 표지 디자인이 필요하시다면 작가 서비스에서 구매도 가능합니다. 주문 제작 방식으로 출판 과정에서 발생되는 비용&재고 '0'원(최소 주문 1권)

부크크는 책 제작이 아닌 책 주문 후 정산해 드리는 방식이기 때문에 출간 비용이 없습니다.

부크크 내 사이트 판매 기준: 인세 컬러 15%, 흑백 35%, 전자책 70%. 부크크에서 제작한 책은 대형 유통사에서 판매하실 수 있습니다. 부크크와 인세가 다릅니다. 흑백 15%, 컬러 10% 전자책은 부크크에서만 판매가 가능합니다.

온라인 유통망 확보(교보, 예스24 ,알라딘, 카카오 브런치 스토리, 북센 등)

10년이 넘는 시간 동안 부크크는 작가 분들께서 더 쉽고 편하게 책을 만들 수 있는 방법을 찾기 위해 고민하고, 다양한 시도를 해왔습니다.

그 결과 현재의 5단계 원스톱 출판 서비스가 제공되고 있습니다. 서비스는 아래와 같은 순서로 구성되어 있으며, 전자책의 경우 '도서 형태' 카테고리를 제외한 4단계로 구성되어 있습니다.

도서 형태(종이책) → 원고 등록 → 표지 디자인 → 가격 정책 → 최종 확인

<부크크(bookk)출판사>

누구나 노오력은 한다. 그래서 노력이 배신하는 시대가 되어 버렸다. 노오력만 하니 시간, 돈 낭비가 되어 결과도 나오지 않는다. 올바른 노력을 해야만 시간, 돈 낭비를 최소의 비용으로 최대의 효과를 내어 큰 결과물을 만들어 낼 수 있다.

이제는 올바른 노력을 알려주는 방탄book기술력을 활용

한 책 출간, 출판사 등록 매뉴얼을 통해 자신 분야와 6가지 수입을 연결시켜 월세, 연금성 수입이 나오는 무인 시스템을 만들자. 종이책 150권, 전자책 250권 총 400권 출간한 비밀을 모두 오픈한다. 기대해도 좋다. 책 출간, 출판사 등록 매뉴얼 시작한다.

대한민국 99%가 책 쓰기, 출간하는 방법만
교육, 코칭 한다!
6가지 수입 창출 책 쓰기, 출간 기술력을
교육, 코칭 하는 곳은 방탄book뿐이다.

방법만 배우면 평생
몸을 움직여서 돈을 벌어야 하지만
방탄book기술력을 배우면 움직이지
않아도 돈을 벌수 있는 자동 시스템을 만든다.

부크크✏️
책 출간 매뉴얼 / 출판사 등록 매뉴얼

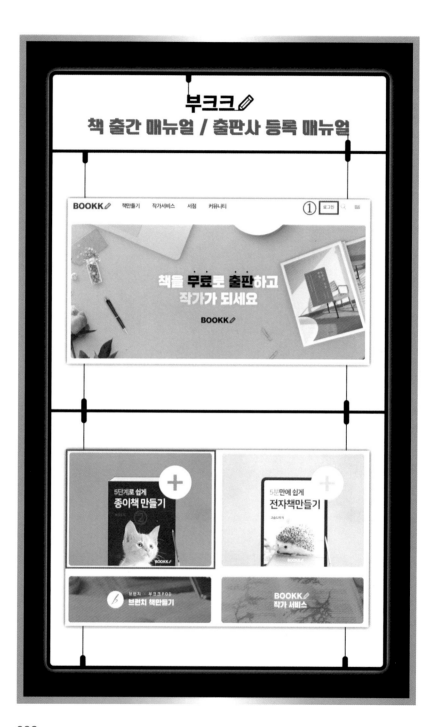

2) 책 출간 5단계 매뉴얼, 출판사 등록 5단계 매뉴얼.

네이버에서 부크크를 검색하면 홈페이지가 나온다. 홈페이지에 들어가서 회원가입을 하고 메인 화면에 책 만들기를 클릭하면 5단계로 쉽게 종이책 만들기가 나온다. 클릭해서 들어가면 책 출간 1단계로 진입한다.

방탄동기부여 PPT를 《300만원 동기부여 강의》책을 만들었던 부크크출판사에 등록 시스템을 세계 최초로 설명하겠다.

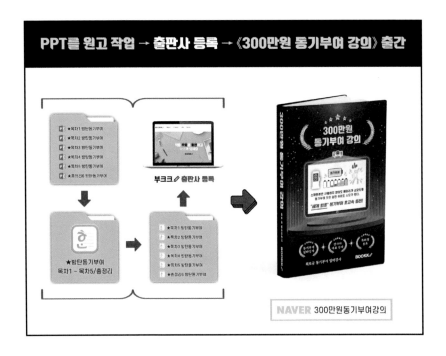

① 책표지. 책 표지는 컬러만 있고 책 내지는 흑백, 컬러로 할 것인가 선택한다. 컬러로 하면 2배 정도 책값이 올라간다고 보면 된다.《300만원 동기부여 강의》책은 컬러로 선택을 했다. 이유는 이미지가 많고 일반 책들이 흑백으로 하는 경우가 많아서 차별화를 두기 위해 컬러로 했다. PPT로 책을 출간한다면 컬러로 해야 한다. 이미지가 많은 것도 있지만 SNS 시대에 대중들의 시선이 화려한 영상, 사진에 노출이 많아져서 보는 수준이 높아졌다. 책이 흑백이라면 대중들이 어떻게 보겠는가? 시대에 맞게 컬러풀하게 가야 한다.

글만 있다면 흑백으로 하면 된다. 이미지가 있다면 책 내지를 컬러로 하는 게 좋다.

② 책 규격. A5 책 규격이다. 148*210mm 일반도서, 소설, 에세이

③ 표지 재질. 표지 컬러다. 스노우(광택있는) 스노우 250g, 유광코팅) 종이 샘플을 요청해서 확인할 수도 있다. 별표가 있는 곳 종이 샘플 요청 클릭하고 받을 주소 입력하면 무료로 받아 볼 수 있다.

필자는 150권 출간하면서 80%는 스노우(광택있는)를

선택했다.

④ 책날개. 책날개가 있는 책과 날개가 없는 책 차이점은 이미지를 보고 판단하길 바란다.

날개가 없다고 책의 가치가 떨어지는 건 아니다. 날개가 있다고 책의 가치가 올라가는 것 또한 아니다. 하지만 이런 말이 있다. "신은 사람의 마음을 보지만 사람은 겉모습을 본다."라는 말처럼 날개가 없는 책과 날개가 있는 책을 보는 사람들에게 선택받을 확률은 100명이면 100명이 날개가 있는 책을 선택한다는 것이다.

당연히 표지가 아무리 좋아도 책 내용이 좋아야 선택하겠지만 하루만 해도 사람들은 스마트폰으로 대중매체, 유튜브, sns... 등에서 수천 개의 화려한 영상, 이미지를 본다. 이런 환경에서 자신 책이 선택받기 위해서는 사람들의 환경, 문화, 심리, 트렌드에 맞게 화려하게 만들어야 한다. 화려하게 해도 선택받을까, 말까이다.

선택은 자신이 하는 것이지만 20,000명 심리 상담, 코칭 하면서 알게 된 것은 책날개를 만들지 않고 책을 출간 했다가 후회해서 다시 책날개를 만들었다는 것을 참고해라.

책 날개 유, 무 차이점 비교

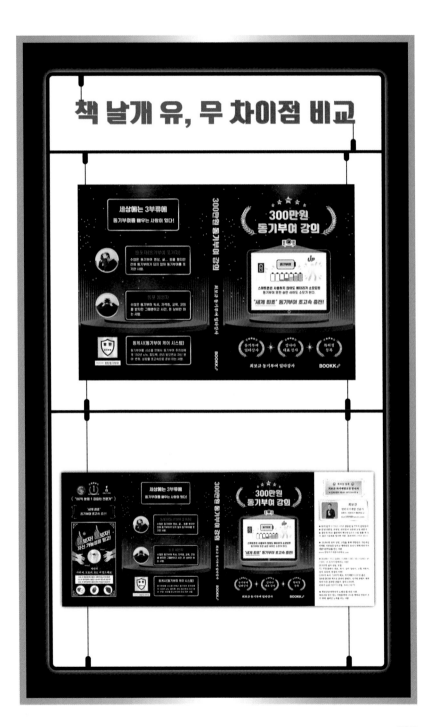

⑤ 페이지 수. 장수, 페이지 수다. 페이지 수에 따라 책 값이 정해진다. 부크크출판사에서는 50페이지 이하는 출간이 안되는 점을 참고하자. 평균 책 페이지는 250쪽 이다.

방탄book기술력 코칭을 하다 보면 이런 질문을 하는 사람이 있다.

"100페이지로 만들면 책값이 낮아져서 대중들이 더 쉽 게 책을 사지 않을까요? 박리다매(薄利多賣: 물건을 평 균보다 싼 가격에 많이 팔아 이득을 극대화하는 판매 전략) 전략으로 하면 좋지 않나요?"

한번 생각해 보자. 시중에 있는 책 평균 250페이지, 한 권 가격 15,000원이다. 예를 들어 100페이지, 책 가격 을 5,000원으로 한다고 했을 때 사람들이 싼 책을 보는 것이 아니다. 사람의 심리는 평균에서 많이 내려가면 가 치, 질이 안 좋다고 판단한다. 가장 중요한 것은 책을 보는 사람들 수준이 높다는 것이다. 책을 보는 사람보다 책을 안 보는 사람들이 몇 배로 많지만 책을 보는 사람 들은 수준이 높아서 저렴한 책보다는 돈을 지불하더라 도 평균보다 수준 높은 책을 원한다는 것이다.

책을 안 보는 사람을 위해 책을 쓰는 것이 아니다. 책을 좋아하는 사람들을 대상으로 책 출간을 하는 것이다.

그래서 책을 쓸 때 수준 높은 책을 써야 되고 표지만 보더라도 "수준이 높겠다." "늘 책들이 비슷비슷해서 지겨웠는데 이 책은 다르겠는데."라는 책을 만들어야 한다. 표지만 보더라도 책값에 값어치를 할 거 같은지 못할 거 같은 지가 나온다. 책 표지에 대한 세부적인 내용은 뒤에 책 표지 등록 때 나올 것이다.

⑥ 다음 페이지. 원고 등록으로 페이지로 넘어간다. 원고 등록 페이지가 실질적인 책 등록 시작이다.

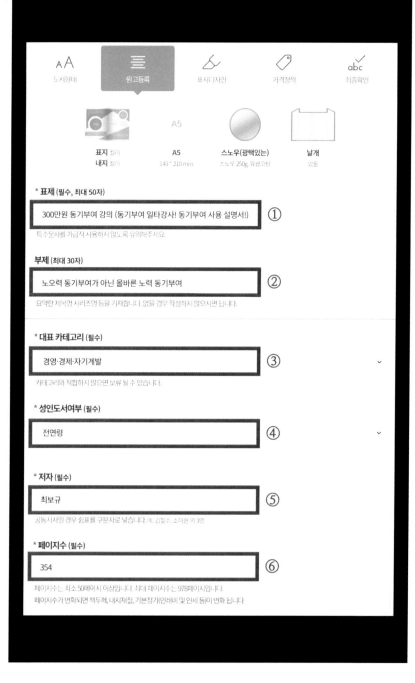

A A
도서형태

≡
원고등록

표지디자인

가격정책

abc
최종확인

A5

표지 컬러
내지 컬러

A5
148 * 210 mm

스노우(광택있는)
스노우 250g 유광코팅

날개
있음

* 표제 (필수, 최대 50자)

300만원 동기부여 강의 (동기부여 일타강사! 동기부여 사용 설명서!) ①

특수문자를 가급적 사용하시 않도록 유의해주세요.

부제 (최대 30자)

노오력 동기부여가 아닌 올바른 노력 동기부여 ②

요약한 제목명 시리즈명 등을 기재합니다. 없을 경우 작성하시 않으시면 됩니다.

* 대표 카테고리 (필수)

경영·경제·자기계발 ③ ˅

카테고리와 직합하시 않으면 보류 될 수 있습니다.

* 성인도서여부 (필수)

전연령 ④ ˅

* 저자 (필수)

최보규 ⑤

공동저자일 경우 쉼표를 구분자로 넣습니다. 예, 김칠수, 소이연 외 3명

* 페이지수 (필수)

354 ⑥

페이지수는 최소 50페이지 이상입니다. 최대 페이지수는 978페이지입니다.
페이지수가 변화되면 책두께, 내지재질, 기본정가(인쇄비 및 인세 등)이 변화 됩니다

336

① 표제(책 제목). 책 제목을 책 내용에 맞게 만드는 것도 중요하지만 더 중요한 것은 자신 책 분야가 시중에 나와 있는 책 제목과 차별화가 느껴지게 책 제목을 만들어야만 선택받을 확률이 높아진다는 것이다. 그래서 자신 책 제목을 만들기 전에 시중에 있는 서점에 들어가서 자신 분야를 검색을 해보고 전체적으로 어떤 제목들이 많으며 베스트셀러 책 제목들은 어떤 제목을 쓰는지 확인하는 것은 책 제목 짓는데 기본이다.

자녀가 태어날 때 이름을 대충 짓는가? 인기 있는 이름들을 쓰는 경우도 있지만 100년 인생을 이름처럼 살아가라고 신중하게 짓는다. 책도 마찬가지다. 인생을 살아가다가 이름을 개명하듯이 책 이름도 바꿀 수 있지만 처음부터 제대로 지어야만 책의 가치가 더해지는 것이다. 필자의 책을 예로 들겠다. 출간한 책 제목인 《300만 원 동기부여 강의》를 《동기부여 강의》로 만들었다면? 뻔하고, 식상한 책이라는 선입견이 생겨버려서 읽을 마음이 들지 않을 것이다. 기존에 동기부여 책과 다른 "이건 뭐지? 이런 책 처음 보는데?"라는 마음이 들어야 한다. 다만 제목이 튀지 않아도 표지를 럭셔리하게 만든다면 관심을 가질 수도 있다. 다음으로 나오는 이미지를 보면서 책 제목의 중요성을 참고하자.

책 제목 비교, 차이점2

예시

출간한 책

NAVER 1조리더십강의

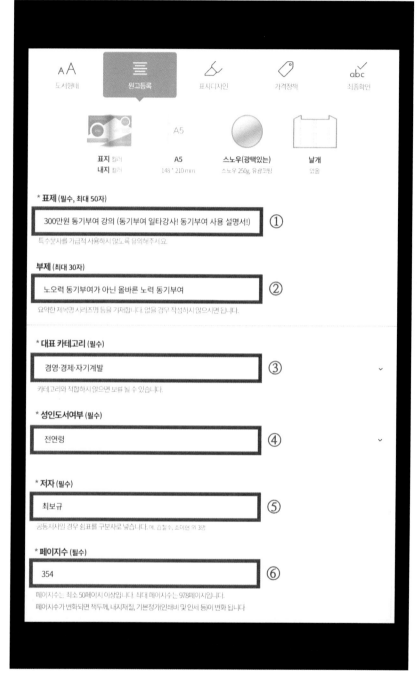

② 부제목. 요약한 제목명, 시리즈명 등을 기재한다. 없을 경우 작성하지 않아도 된다.

③ 대표 카테고리. 책 분야를 선택하는 곳이다. 자신 책 분야에 맞게 선택하면 된다. 강사라면 대부분 교육이기 때문에 경영, 경제, 자기계발을 선택하면 된다.

④ 성인도서 여부. 성인, 전 연령 둘 중에 하나 선택하면 된다.

⑤ 저자. 이름을 입력하면 된다. 공동저자일 경우는 쉼표로 구분해서 넣으며 된다. (예: 최보규, 최영웅 외 3명)

⑥페이지 수. 원고 총 페이지 수를 입력하면 된다. 페이지 수는 최소 50페이지 이상이어야 하고 최대 페이지 수는 978페이지다. 페이지 수에 따라서 책 두께, 내지 재질, 기본 정가(인쇄비 및 인세 등)가 정해진다.

#. 시중에 나와 있는 책 평균 가격 15,000원 / 책 페이지는 250페이지다. 페이지가 많으면 1권, 2권으로 쪼개서 출간하면 된다. (예: 400페이지라면 1권 200, 2권 200)

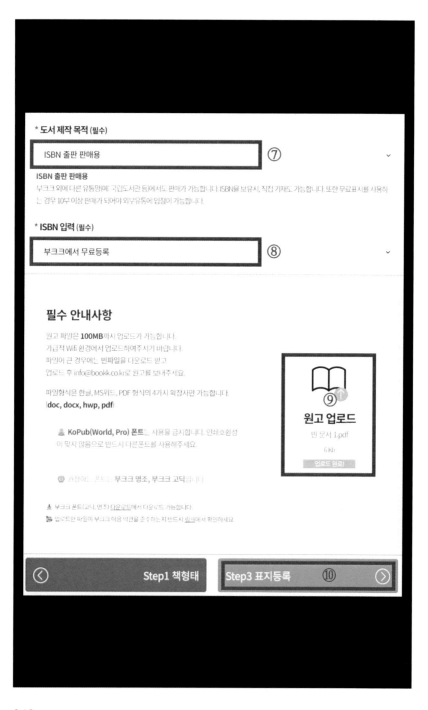

⑦ 도서 제작 목적.

ISBN 출판 판매용, 일반 판매용, 소장용 3가지가 있다.

ISBN 출판 판매용은 부크크 외에 다른 유통망(예:국립도서광 등)에서도 판매가 가능하고 ISBN을 보유시, 직접 기재도 가능하며 무료표지를 사용하는 경우 10부 이상 판매가 되어야 외부 유통이 가능하다. ISBN을 단순하게 말을 하면 책의 주민등록번호라고 생각하면 된다. ISBN 번호가 있어야만 책을 판매하여 수입 창출 할 수 있는 조건이 주어진다.

일반 판매용은 외부 유통은 하지 않고 부크크 자체에서만 판매한다는 뜻이다.

소장용은 외부 유통은 하지 않고 부크크 자체에서도 판매하지 않는다는 뜻이며 '소장용' 말 그대로 자신만 본다는 뜻이다. 소장용으로 책을 출간하는 사람들은 자신 만족이나 가족, 소중한 사람들에게만 주기 위해서 만든다. 책 쓰기를 연습하기 위해서 소장용으로 만든 후에 다듬어서 다시 등록 후 심사, 승인받아서 외부 유통해서 수입을 창출하는 사람도 있다.

⑧ ISBN 입력. 부크크에서 무료 등록을 해 준다.

⑨ 원고 업로드. 원고 파일은 100MB까지 업로드가 가능하다. 파일이 큰 경우에는 빈 파일을 다운로드 받아서 업로드 후 info@bookk.co.kr로 원고를 보내면 된다.

이미지가 많은 원고는 100MB가 넘는 경우가 많다. 그래서 원고 업로드에 빈파일 hwp, 빈파일 pdf를 업로드하고 난 뒤에 부크크 메일로 원고 파일을 보내면 된다. 빈 파일 다운로드는 이미지에서 보면 빈 파일 글씨만 파란색이다. 빈 파일을 클릭하면 빈 파일을 다운로드가 된다. (hwp 빈 파일, pdf 빈 파일 2중에 하나) 다운로드 받은 파일을 원고 업로드 칸에 업로드하면 된다.

파일 형식은 한글, MS 워드, PDF 형식의 4가지 확장자만 가능하다. (doc, docx, hwp, pdf)
한글(hwp)에서 작업한 원고는 pdf파일로 변환해서 부크크출판사 메일로 보내면 된다.

⑩ 표지 등록 페이지 이동. 3단계 표지 등록 페이지로 넘어간다.

▶ 빈 파일 클릭 → 다운로드 된 한글 빈 파일
→ 9번 원고 업로드에 삽입

#. 자체적으로 한글 빈 파일, PDF 빈 파일을 만들어서 업로
드해도 된다.

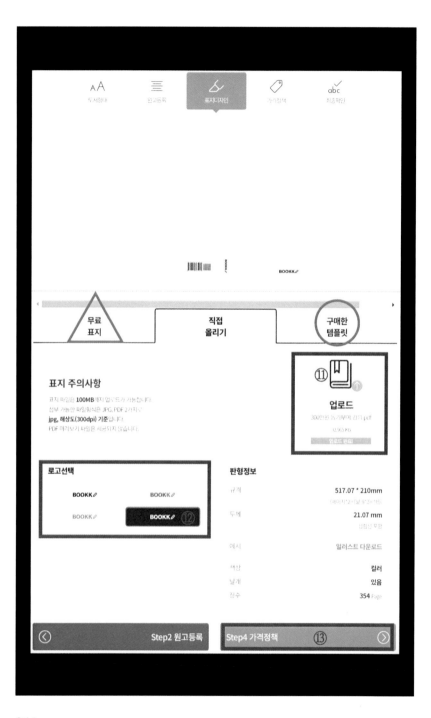

⑪ 표지 업로드. 표지 파일은 100MB까지 업로드가 가능. 첨부 가능한 파일 형식은 JPG, PDF 2가지로 jpg, 해상도(300dpi) 기준.
⑫ 로고 선택. 책 표지 바탕색에 따라 로고 색을 선택할 수 있다.
⑬ 가격정책. 4단계 가격정책 페이지로 이동한다.

책 표지는 사람으로 비유를 하면 얼굴, 외모, 첫인상이고 표지가 책의 모든 것을 좌우하기도 한다.
첫인상 효과, 초두효과라는 심리적 용어가 있다. 사람의 외모, 태도, 언어, 의상 등을 보면서 평균적으로 7초 이내에 상대방에 대한 첫인상을 형성하게 된다.

책 표지도 첫인상 효과, 초두효과처럼 책 표지, 제목, 이미지를 보고 1차적으로 책을 초이스 할지 안 할지 판단한다.

지금 어떤 시대에 살고 있는가? 스마트폰으로 인해서 하루만 해도 영상, 이미지, 글... 눈이 아플 정도로 화려한 것을 수 만개는 본다. 한마디로 지금 시대 사람들은 예전에 비해 시각적인 수준이 높아졌다는 것이다.

이런 상황에서 책 표지, 제목, 이미지가 평범하거나 호기심을 유발, 궁금증 유발 "이런 책 표지는 처음 보는데 표지가 너무 신선하다. 표지가 럭셔리하다.", 보고 싶도록 만드는 표지를 만들어야만 선택할 확률이 높아지는 것이다. 다음은 지금 현실 속 사람들의 집중력에 대한 내용이다.

겨우 8초, 금붕어보다 못한 인간의 집중력
소위 'MZ'라고 불리는 요즘 젊은 세대는 어렸을 때부터 늘 새로운 자극으로 가득한 디지털 환경에 노출된 채 자랐다. 그래서인지 한 가지 주제에 오랫동안 집중하기 상당히 어려운 뇌 구조를 지녔다고 한다. 뭔가에 집중할 수 있는 시간(Attention Span)에 관한 연구를 살펴보자. 아동이 주의해서 집중할 수 있는 시간은 얼마나 될까? '자신의 나이×1분' 정도라고 한다. 6세 어린이는 약 6분 정도 집중할 수 있다는 뜻이다. 이 시간은 개인에 따라 차이가 있고, 몰입하면 10~15분까지는 늘어날 수 있다.

너무 지루하지도 않고 그렇다고 아주 재미있지도 않은 평범한 수업을 하고 있다고 하자. 십 대 학생들은 보통 수업을 듣기 시작하면 약 10분 후부터 집중력이 떨어진다. 일반적으로 이들이 뭔가에 주의해서 집중할 수 있는 시간은 20분을 넘기기 어렵다. 따라서 수업 시작 후

10~20분이 지나면 신경전달물질이 고갈된 학생들은 이내 집중에 어려움을 느끼고 주의가 산만해진다. 그래서 유튜브 영상의 평균 길이는 15~20분이고, 테드(TED) 강연 길이는 18분이다. 집중력을 감안해 메시지를 확실히 전달하기 위한 시간이다. 드롭박스의 마케팅 신화를 쓴 실리콘밸리 최고의 마케터 션 엘리스(Sean Ellis)가 한 말을 약간 각색하여 들어보자.

"고객의 주의 집중을 원하신다고요? 사업 규모의 확장을 위해서는 시장이 원하는 언어를 사용해야 합니다. 언어의 시장 적합성이 무엇보다 중요하죠. 잠재 고객의 마음을 움직일 수 있는 말을 상상해 보세요. 당신이 만든 제품을 고객이 마주할 때 어떻게 해야 가장 효율적으로 전달할 수 있을지 생각해 보셨나요? 고객이 좋아하지 않는 언어로 구애한다면 필패입니다. 제품 가치를 알아줄 상대방이 없는 곳에서 헛스윙을 하는 거라고 생각하면 됩니다."

여기서 왜 고객의 마음을 끌어당길 언어에 몰두해야 하는지 그 이유가 나온다. 스마트폰이 생기기 전 고객이 광고에 집중할 수 있는 시간은 12초였다. 이제는 8초로 뚝 떨어졌다. 9초인 금붕어보다 못하다.

주의집중 시간의 변화

12초 - 2000년 인간의 평균 주의 집중 시간

8초 - 2015년 인간의 평균 주의 집중 시간

9초 금붕어의 주의집중 시간

인간의 평균 주의 집중 시간 인간의 평균 주의 집중 시간 금붕어의 주의 집중 시간 왜 이런 일이 발생했을까? 주변의 수많은 자극에 적응하다 보니 주의력이 줄어들었다는 것이 통설이다. 생각해 보라. 우리는 매일매일 넘치는 정보의 홍수 속에서 살아가고 있다. 수시로 오는 문자와 카카오톡 메시지, 귀찮아 들여다보지도 않는 이메일처럼 하루하루 우리의 신경을 산만하게 하는 요소가 차고 넘친다. 그 결과 집중해서 주의를 지속하는 시간이 줄어드는 것은 당연한 결과다. 게다가 여러 일을 한꺼번에 하는 멀티태스킹형 업무 방식에 길들여진 젊은 세 대에게 이런 현상은 더욱 심각하게 다가올 수밖에 없다.

뇌 신경세포를 뜻하는 뉴런과 마케팅의 합성어인 뉴로마케팅(Neuro Marketing)의 연구 결과를 보자. 브랜드의 색상이 소비자로 하여금 다양한 감정을 불러일으킨다고 한다. 소비자들이 상품을 구매하는 데 있어 시각적 효과가 약 95%를 차지한다고 하니, 디자인과 색감이 큐레이터에게는 아주 중요하다. 색은 브랜드를 인식하는 강력한 수단으로, 그리고 소비자의 신뢰를 확보하는 무기로 작용한다. 빨간색 코카콜라와 초록색 스타벅스 로고가 소비자의 지갑을 열게 하는 강력한 마케팅 도구로 활용되고 있다는 것은 마케팅 세계에서는 익히 아는 이야기다.

《감정 경제학》

금붕어의 집중력이 9초인데 지금 시대 사람들의 집중력이 8초라는 말이 씁쓸하기만 하다. 지금 현실 사람들의 심리를 알려주는 내용이었다. 어떤 분야든 지금 시대 사람들의 상태, 심리를 알아야만 공격적으로 영업, 마케팅을 할 수 있고 자신 분야 제품을 알릴 수 있는 것이다. 시각적인 효가가 95%를 차지한다는 것은 어마어마한 것이다. 그래서 책 표지 디자인이 중요하다고 말을 하는 것이다. 책 내용도 중요하지만 첫인상을 결정짓는 책 표지로 지금의 집중력 8초를 머물게 하지 못하면 끝이다.

20,000명 심리 상담 코칭 하면서 알게 된 책을 선택하는 사람들의 평균적인 순서가 있었다.
첫 번째 책 표지
두 번째 책 제목
세 번째 책 목차

"신은 사람의 마음을 보지만 사람은 외모를 본다."라는 말이 있듯이 신은 표지를 가리지 않고 보지만 독자들은 표지에서 70% 선택, 목차에서 30% 선택한다.

제목, 책 내용도 중요하지만 책 표지도 제목, 내용만큼이나 중요하다. 그래서 책 표지에 모든 정성을 쏟아야 한다. 위 사진에서 형광 핑크 삼각형에 있는 무료 표지가 있다. 무료 표지는 부크크출판사 자체에서 무료로 제공하는 표지다.

위 사진에서 형광 핑크 동그라미에 있는 구매한 템플릿은 부크크출판사 홈페이지에서 있는 작가 서비스가 있다. 표지 디자인 전문가에서 일정에 돈을 주고 의뢰하는 곳이다. 작가 서비스에서 고급 표지, 표지 디자이너, 내지 디자인, 교정, 교열 유료 서비스를 이용 할 수가 있다.

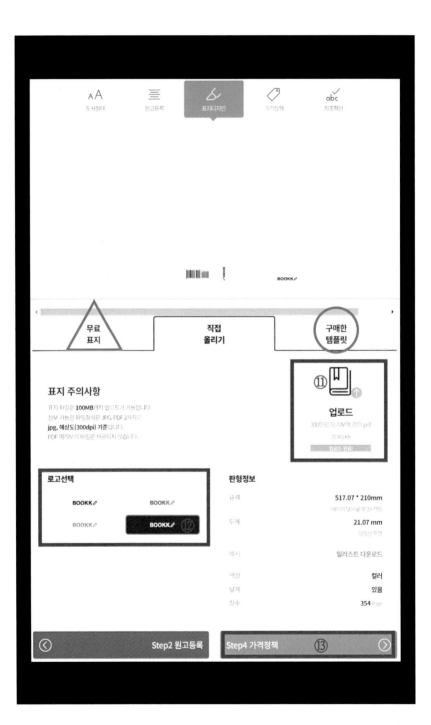

유료서비스 가격

고급 표지 90,000원 ~ 160,000원.

표지 디자인 280,000원 ~ 400,000원.

내지 디자인 기본 40장 80,000원 ~

교정, 교열 10페이지 15,000원 ~

1권 쓰고 말 거라면 책 표지를 돈을 주고 만들면 된다. 하지만 책을 10권, 100권, 1,000권을 출간할 수 있는 기술력을 이 책에서 배우고 있는데 책 표지를 언제까지 돈 주고 만들 것인가? 책 표지 만드는 기술력을 배우면 100년 수입 창출을 할 수 있다. 종이책 1권 제작하면 전자책(PDF)은 자연스럽게 만들 수 있게 된다. 한마디로 종이책 1권을 출간하면 온라인에 1층을 가지고 있는 건물주가 되는 것이다. 필자는 종이책 150권, 전자책 250권 총 400권 출간했다. 한마디로 400층의 온라인 건물주라는 것이다.

월세, 연금성 수입이 얼마 정도 발생할 거 같은가? 앞에서도 언급을 했던 내용 참고하자. 2024년 대한민국 현실은 5명 중 1명이 사기꾼이고 3혹[유혹, 현혹, 화혹(화려함에 혹하다)]에 빠져 3명 중 1명중 한명이 사기 당한다. 대검찰청에 따르면 연간 136만 건 범죄 중 가장 많이 발생하는 범죄가 1위는 사기다. 수입 인증, 통장 인증하는 사람들 90%는 "믿음을 줘야 크게 한탕을 칠 수 있다."라는 심리가 있다. 수입 인증, 통장 인증하는 사람들이 다 사기꾼은 아니다. 하지만 단언컨대 사기꾼들은 수입 인증, 통장 인증을 한다는 것을 명심하자!

이번 생애 힘든 갓물주 위에 건물주는 힘들어도 온라인 건물주는 가능하다는 것이다. **최보규 방탄book 코칭 전문가**의 PPT 디자인 수준인 마우(마우스만 움직일 줄 아는 우주 초보)에서 150권 표지를 만들 수 있었던 스토리텔링을 시작한다. 지금부터 상상을 초월하는 기술력을 오픈하기에 스마트폰 무음으로 해놓고 보길 바란다.

한 분야 전문가라면 이제는 자신 분야를 홍보하기 위한 디자인 스펙은 기본으로 해야 한다. PPT를 할 줄 아는 사람이라면 필수이다. 필자의 본업은 강사다. 15년 전 강사 직업을 시작으로 7G 직업(출판사 대표, 작가, 심리 상담사, 코칭 전문가, 강사, 유튜버, 한집의 가장)을 하고 있다.

강사 1년 차 PPT 디자인 수준이 상 → 중 → 하 → 마우(마우스만 움직일 줄 아는 우주 초보)에서 마우였다. 그런데 15년 전 PPT 디자인 수준이 마우였던 필자가 15년이 지난 지금도 PPT디자인 수준이 마우인 사람이 책과 연관된(종이책 표지, 종이책 3D 표지, 종이책날개 표지, 전자책 표지, 책에 들어갈 이미지 디자인, 책 출간 후 유튜브 홍보 영상 디자인, SNS 프로필 디자인... 등) 디자인 수준을 어떻게 끌어 올렸는지 150권 표지 디자인한 보고 냉정하게 판단해보길 바란다. 디자인을 보면 디자인 실력, 내공, 가치가 나온다.

#. 뒤에서 나오는 150권 표지 디자인 중에 1%만 공개하고 종이책 표지, 날개 표지 작업 노하우, PPT에서 책 표지, 날개 표지 만드는 노하우까지 공개한다. PPT 디자인 수준이 마우(마우스만 움직일 줄 아는 우주 초보)인 사람도 가능하다는 것을 필자가 증명해 보이겠다.

도서정대

원고등록

표지디자인

가격정책

최종확인

정가설정

55000 원 ㉔

* 최소가격 **34,700원**입니다.
* 최대 기본정가의 **3배**까지 설정할 수 있습니다.
* 소비자가격은 최소 가격보다 높아야합니다.
* 100원대 단위로 설정해야합니다.

정가인하

○ 네, 작가 수익을 낮추고 소비자가격을 인하 하겠습니다.

◉ 아니요, 소비자가격을 인하하지 않겠습니다.

외부서점 입점

◉ 네, 외부 온라인 서점(교보문고, YES24, 알라딘 등) 입점 원합니다.

○ 아니요, 부크크에서만 판매하며, 다른 서점은 원치 않습니다.

- 부크크는 필수로 입점되는 서점입니다.
- 부규 및 직접 원집 표시의 경우 유통사업의에 따라 입점 제약이 있을 수 있습니다.
- 무료 서점입점을 이용하는 경우 **10권이상 판매**가 되었을때 외부유통 신청이 가능합니다.

	최종정가	**55,000**원

 부크크 서점 입점

기본정가	**34,700** 원
인쇄비	**24,290** 원
부크크수수료	**8,250** 원
작업비 (*추가작면경비 등)	**14,210** 원
정가인하	**0** 원
내수익	**8,250** 원

 외부 서점 입점

기본정가	**34,700** 원
인쇄비	**24,290** 원
부크크수수료	**8,250** 원
외부서점수수료	**6,940** 원
작업비 (*추가작면경비 등)	**10,020** 원
정가인하	**0** 원
내수익	**5,500** 원

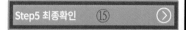

< Step3 표지디자인   Step5 최종확인 ⑮ >

⑭ 정가설정. 책 컬러, 책 페이지 수에 따라 가격이 자동으로 설정이 된다. 최대 기본정가의 3배까지 설정할 수 있다. 외부서점(교보문고, YES24, 알라딘, 웅진북센, 등) 입점 체크하고 책 인세는 부크크 자체에서 판매되면 15%, 외부 서점에서 판매 되면 10%다.

⑮ 최종 확인. 마지막 단계인 도서 소개, 도서 목차, 저자 경력, 소개 페이지로 이동한다.

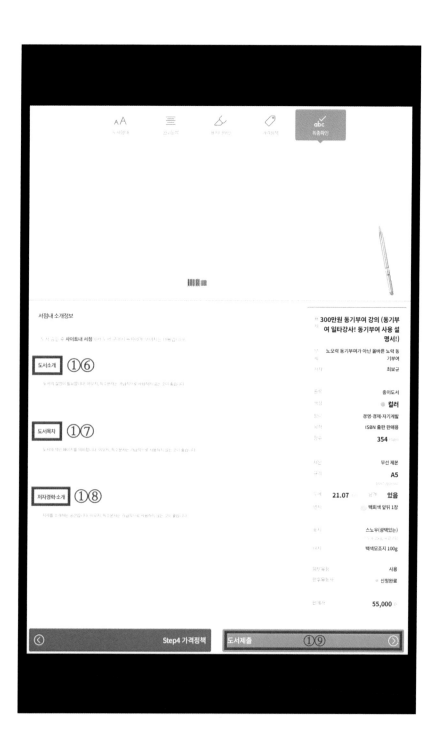

서점내 소개정보

도서소개 ①⑥

도서목차 ①⑦

저자경력소개 ①⑧

300만원 동기부여 강의 (동기부여 일타강사! 동기부여 사용 설명서!)

노오력 동기부여가 아닌 올바른 노력 동기부여

최보규

종이도서

● 컬러

경영·경제·자기계발

ISBN 출판 판매용

354

무선 제본

A5

21.07   있음

백회색 앞뒤 1장

스노우(광택있는)

백색모조지 100g

사용

● 신청완료

55,000

Step4 가격정책   도서제출   ①⑨

360

⑯ 도서 소개. 책 소개를 입력하는 곳이다. 책 표지, 책 제목 다음으로 많이 보는 책 소개다. 책 소개를 보고 책을 구매할지 안 할지 판단한다. 다음으로 나오는 《300만원 동기부여 강의》 책 소개를 참고하자.

《300만원 동기부여 강의》 책 소개

★ 80억 분의 1 ONLY ONE 검증된 동기부여 일타강사의 강의 교안 세계 최초 오픈!
※. 강사가 강의 교안을 오픈하는 것은 통장, 영업 기밀을 오픈하는 거와 같다.

★ 3고(고물가, 고환율, 고금리) 시대, 49세 은퇴 시대 (20대 은퇴 예정자? 30대 은퇴 확정자? 40대 은퇴 위험군?) 점점 더 은퇴 나이가 낮아지고 앞으로 더 힘들어지는 상황에서 자신 가능성을 높이는 동기부여, 자신 분야와 연결하여 제2수입, 제3수입을 지속적으로 만들 수 있는 방법을 제시하는 동기부여를 해 줄 것이다.

특허청 등록! 등록 번호: 제 40-2072344 호 [최보규 자기계발코칭 창시자]
20,000명 심리 상담, 코칭 / 15년 2,000권 독서

자기계발서 100권 출간 / 강사 15년, 강의 6,000회
7G 직업 (출판사 대표, 작가, 심리 상담사, 코칭 전문가, 강사, 유튜버, 한집의 가장)
45년간 습관 320가지 만듦...
많은 경력과 시행착오, 대가 지불, 인고의 시간을 통해 알게 된 동기부여를 세계 최초로 공개한다.

★ 어떤 강의에서도 말하지 못한 동기부여!
★ 어떤 강사도 말하지 못한 동기부여!
★ 어떤 책에도 없는 동기부여!
★ 어떤 영상에서도 볼 수 없는 내용의 동기부여!

⑰ 도서 목차. 책의 목차를 입력하는 곳이다. 다음으로 나오는 《300만원 동기부여 강의》 책 목차 참고하자.

◆ 총정리(피드엔드법칙) 240

◆ 세계 최초 방탄강사 사관학교 272

◆ 지속적인(100년) 수입을 창출할 수 있는 기술력을 체계적으로 배우는 방탄자기계발사관학교 310

◆ 참고문헌, 출처 353

⑱ 저자 경력, 소개. 작가의 스펙이나 소개을 입력하는 곳이다. 다음으로 나오는 《300만원 동기부여 강의》 책 저자 경력, 소개를 참고하자.

《300만원 동기부여 강의》 책 저자 경력, 소개

★ 80억 분의 1 ONLY ONE 검증된 동기부여 일타강사!

★ 대한민국 특허청 등록 [등록 번호: 제 40-2072344 호] [최보규 자기계발코칭 창시자]

★ 삼성(전문성, 진정성, 신뢰성)이 검증된 코칭 전문가.

★ 출판계 최초! 출판계의 혁신인 6가지 수입 창출 책 쓰기, 출간 기술력을 창시한 사람. [출판계의 스티브 잡스]

★ 20,000명 심리 상담, 코칭을 통해 많은 사람들을 살리고 함께 울고, 웃고, 공감으로 행복을 주는 동기부여

전문가.

대한민국 극단적인 선택률, 이혼율을 낮추고 행복률을 올리기 위해 방탄자기계발사관학교를 만든 사람.

www.방탄자기계발사관학교.com

★ 20,000 / 7G / 2,000 / 7,000 / 100 / 50 / 6,000 / 45 / 320 / 15 숫자가 말해주는 사람!

20,000명 심리 상담, 코칭.

7G 직업(출판사 대표, 작가, 심리 상담사, 코칭 전문가, 강사, 유튜버, 한집의 가장)

2,000권 독서. 7,000개 메모. 자기계발서 100권 출간.

100권 출간한 책으로 온라인 콘텐츠, 디지털 콘텐츠 제작하여 50층 온라인 건물주.

강의 6,000회. 45년간 습관 320가지 만듦. 강사 15년 차.

★ 최보규상(대한민국 노벨상)을 만든 사람.

최보규를 알고 있는 사람들에게 나다운 행복을 만들어 주기 위해 올바른 노력을 하는 사람.

⑲ 도서 제출. 심사, 승인을 받기 위한 최종 단계

최종제출 유의사항

🏅 동의 후 제출이 되면, 제출하신 표지와 내지 기준으로 입점을 위한 심사가 진행됩니다.

📢 부크크에서 승인처리 한 후 다음 영업일 이내까지는 무료로 원고 교체가 가능합니다.
이후 정해진 파일교체일에 진행되며, **5,000원의 비용이 발생 됩니다.**

(예) 금요일 오후 5시 승인시 업무마감 오후 6시라면, 다음 주 월요일 영업시간 내 무료 교체가 가능합니다.

📢 승인된 도서는 도서판형, 총페이지수, 제목, 저자명, 도서정가, 날개유무 등을 변경 할 수 없습니다.

돌아가기　　　　　　　　　**동의 후 제출 ②⊙**

---

bookk.co.kr 내용:

해당 단계를 진행하게되면 심사를 위한 제출을 하게 됩니다. 해당 도서를 최종 제출을 처리 할까요?

②①

확인　　　취소

⑳ 동의 후 제출. 동의 후 제출을 클릭하면 임시 서재로 저장이 된다. 동의 후 제출이 되면, 제출한 표지와 내지로 입점을 위한 승인 심사가 진행 된다.

㉑ 확인. 확인을 누르면 심사를 받는 것이다. 심사를 한 번에 승인받기 위해서는 취소를 누른 다음에 임시 서재에 저장되어 있는 것을 다시 꼼꼼하게 체크를 하고 확인을 누르는 것이 좋다.

심사는 2~3일 정도 걸리는데 승인 반려가 뜨면 시간이 더 길어지기에 임시 서재에 저장해서 꼼꼼하게 빠진 부분은 없는지 한 번 더 확인하는 것이 좋다.

- 심사, 승인 기준

1. 원고가 제작 가능한 규격.
2. 책으로 만들어졌을 때 여백 가능.
3. 서체가 당사 인쇄기기와 호환 유무.
(서체의 경우 문체부체, kopubpro, kopubworldpro 체는 사용 안 됨)
4. 이미지의 해상도나 저작권에 문제가 있을 것 같은 경우에는 저자에게 확인 요청.

필자가 부크크 출판사에서 종이책 150권, 전자책 100권, 유페이퍼 출판사 전자책 150권 총 450권을 출간 하면서 알게 된 것은 부크크 출판사, 유페이퍼 출판사들 심사, 승인 기준이 까다롭지가 않다는 것이다.

심사, 승인 기준 한 번만 통과하면 그 다음에는 심사, 승인 기준이 감이 오기에 수월하게 진행을 할 수 있다. 앞에서 나온 부크크 출판사 종이책 등록 기준, 뒤에 나오는 유페이퍼 출판사 등록 기준을 따라 한다면 심사, 승인은 무난하게 통과할 것이다.

지금까지 부크크출판사의 종이책 등록 매뉴얼 순서를 보면서 이런 생각을 하는 두부류에 사람들이 나온다.

"우와! 책 출간 방법이 이렇게 쉬웠어! 그토록 찾던 책 출간 방법이 여기 있었는데 지금까지 헤매던 시간들을 보상받는 느낌이다. 최보규 방탄book 코칭 전문가님께 감사하다. 부크크출판사 등록 순서대로 하면 돈 안 들이고 혼자서 충분히 할 수 있을 거 같다. 책 출간하는데 이렇게 돈 안 들이고 쉽게 책 출간해도 되나? 진짜 대박이다!"라는 생각이 들 것이다. 이런 생각이 충분히 들 수 있다. 하지만 정작 중요한 것을 모르고 있다.

부크크출판사에 책 출간 등록 매뉴얼은 책 출간만 할 수 있는 방법이지 출판계의 혁신인 방탄book기술력까지 할 수 있는 것이 아니다. 책을 출간해서 6가지 수입을 창출 할 수 있는 방탄book기술력 접목은 ONLY ONE인 최보규 방탄book기술력 창시자밖에 할 수 없다는 것이다.

20,00명 심리 상담, 코칭 하면서 알게 된 것이 있다. 방탄book기술력 과정이 3단계가 있다. 이코노미 코칭, 비지니스 코칭, 퍼스트 클래스 코칭 중 기초 과정인 이코

노미 코칭 과정을 배우면 혼자서도 충분히 할 수 있을 자만심이 생겨 혼자서 책 등록을 하다가 어려워서 도움을 요청하는 사람들이 많았다. 쉬운 설명이라도 자신이 막상 하면 어려운 경우가 많다.

두 번째 부규

"음... 시중에 책 쓰기 책, 책 출간 책보다는 좀 더 쉽게, 디테일하게 설명을 했지만 혼자서 하기가 쉽지 않을 거 같은데... 최보규 방탄book기술력 창시자님도 마우 실력으로 150권을 출간 했다고 했는데... 마우 수준인 나는 그래도 어렵다."라는 자신감 없는 생각이 들 것이다. 자신감 없는 생각이 드는 것은 지극히 자연스러운 것이다.

단언컨대 시중에 많이 있는 책 쓰기, 책 출간 책들 중에 이렇게까지 세부적으로 디테일하게 초보자 눈높이에서 설명해 놓은 것을 보고도 시도를 안 한다면 그 어떤 책 쓰기, 책 출간 책을 보더라도 할 수 없을 것이다.

자신을 못 믿는 사람들이 많을 것이다. 하지만 자신을 믿어주는 최보규 방탄book기술력 창시자를 믿고 시작하면 된다. 우주 최강 책임감 150년 a/s, 피드백, 관리를 받고 싶다면 방탄book기술력 교육, 코칭을 받길 바란다.

평균 희망 은퇴 73세, 현실 은퇴 나이 49세!
100세 시대 언제까지 몸(노동)으로만
일해서 돈을 벌 것인가?

세상, 현실 기준에서 스펙, 돈, 인맥, 자산 등이 없어서 100세까지 노동을 해야 되고 몸까지 아프면 더 답이 없는 상황! 젊을 때는 100가지 중 99가지를 할 수 있지만 나이 들면 100가지 중 99가지를 할 수 없다. 3고 시대, AI 시대, 챗GPT 시대에 자신의 직업이 사라 질 수 있는 상황에서 어떻게 준비, 대비할 것인가?

 방탄JOB기술력
선택이 아닌 필수!

★ ★ ★ ★ ★
ONLY ONE
방탄JOB
기술력

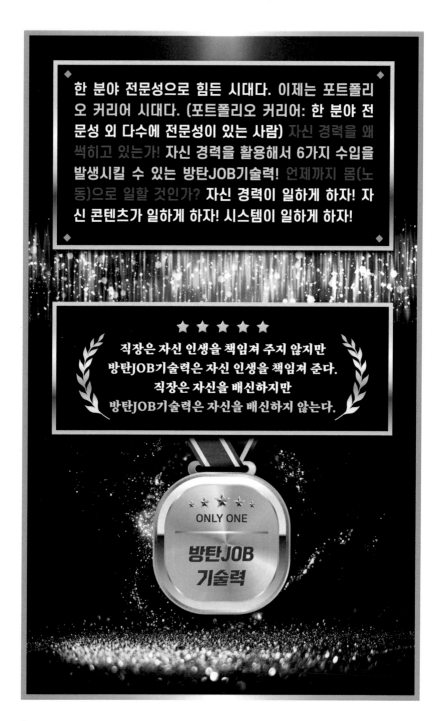

한 분야 전문성으로 힘든 시대다. 이제는 포트폴리오 커리어 시대다. (포트폴리오 커리어: 한 분야 전문성 외 다수에 전문성이 있는 사람) 자신 경력을 왜 썩히고 있는가! 자신 경력을 활용해서 6가지 수입을 발생시킬 수 있는 방탄JOB기술력! 언제까지 몸(노동)으로 일할 것인가? 자신 경력이 일하게 하자! 자신 콘텐츠가 일하게 하자! 시스템이 일하게 하자!

★ ★ ★ ★ ★
직장은 자신 인생을 책임져 주지 않지만
방탄JOB기술력은 자신 인생을 책임져 준다.
직장은 자신을 배신하지만
방탄JOB기술력은 자신을 배신하지 않는다.

ONLY ONE
방탄JOB
기술력

◎ 특허청 등록 ◎
최보규 자기계발코칭 창시자
등록 번호 : 제 40-2072344 호

★★★★★ **차별이 아닌 초월 혜택** ★★★★★

| Google 자기계발아마존 | ▶ YouTube 방탄자기계발 | NAVER 방탄동기부여 | NAVER 최보규 |

이코노미 PT

기본 5H : 500,000원

☑ 150년 A/S (세계 최초)

☑ 마스터한 분야 자격증 1종 취득

☑ 방탄자기계발사관학교 강사 위촉

☑ 방탄자기계발사관학교 마스터 위촉

☑ 비지니스 PT 10% 할인
  (10만원 상당)

☑ 퍼스트클래스 PT 10% 할인
  (30만원 상당)

☑ 마스터한 분야 실전 2시간 강의
  교안 제공. (강사료 200만원 상당)

378

특허청 등록 ◎
최보규 자기계발코칭 창시자
등록 번호: 제 40-2072344 호

★★★★★ **차별이 아닌 초월 혜택** ★★★★★

 Google 자기계발아마존  ▶YouTube 방탄자기계발 NAVER 방탄동기부여 NAVER 최보규

비지니스 PT

기본 10H : 1,000,000원

- ☑ 150년 A/S, 피드백
- ☑ 마스터한 분야 자격증 1종 취득
- ☑ 방탄자기계발사관학교 전임 강사 위촉
- ☑ 방탄자기계발사관학교 전임 마스터 위촉
- ☑ 퍼스트클래스 PT 10% 할인
  (30만원 상당)
- ☑ 강사 맞춤 트레이닝 비대면 1회 제공
  (50만원 상당)
- ☑ 마스터한 분야 실전 2시간 강의 교안
  제공, 1:1 맞춤 교안 설명
  (강사료 200만원 / 1:1 맞춤 100만원 상당)

★★★★★ 차별이 아닌 초월 시스템 ★★★★★

타사와 비교불가 초월 혜택!
자신 분야 온라인 건물주가 되어 100년 수입 창출!

| Google 자기계발아마존 | ▶ YouTube 방탄자기계발 | NAVER 강사야 | NAVER 최보규 |

퍼스트클래스 *PT*

기본 15H : 3,000,000원~

CHECK POINT

☑ 기본 1회(15H) / (2회 ~ 5회 선택 사항)

☑ 6가지 수입 창출 *자동 시스템 구축*

☑ 150년 A/S, 피드백, VIP맞춤 관리

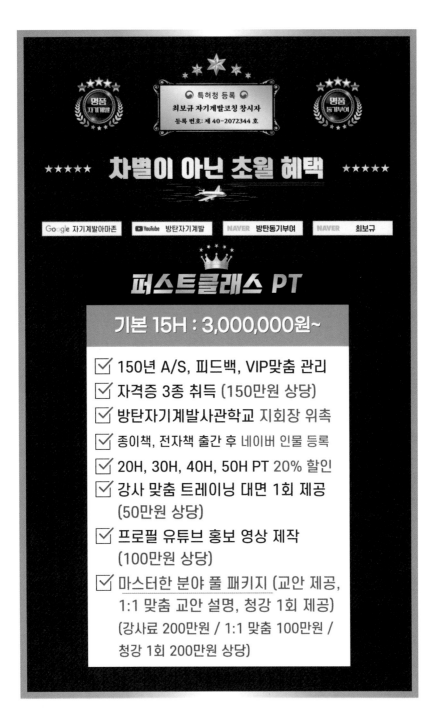

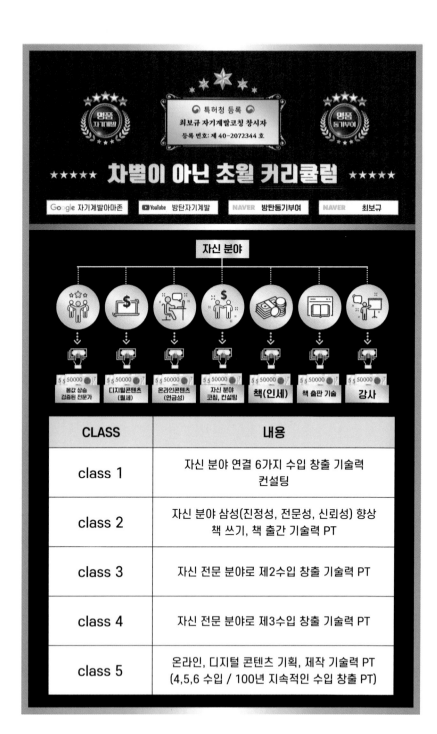

◆ 참고문헌, 출처

- 유튜브 책식주의 -《노후의 재구성》마이크 드락 수잔 윌리엄스 외 1명, 유노북스, 2023
<KBC뉴스 배주환 기자>
<미래한국 김민성 기자>
<세바시 인생질문> - 김호 더랩에이치 대표 -
당신에겐 '직장'은 있어도 '직업'은 없을 수도 있습니다.
《나다운 방탄멘탈》최보규, 베프북스, 2020
<네이버 블로그 자연주의 코코>
<어쩌다 어른 신중권 변호사>
<사피엔스 스튜디오>
《KBS1 시사직격》
<SBS 뉴스 후스토리>
《사기 공화국에서 살아남기》
(2020년 8월 11일 앙코르메일)
<고도원의 아침편지>
<담양뉴스>
《방탄 리더 인재양성 1》최보규, 부크크, 2023
《왓칭》김상운, 정신세계사, 2016
<유튜브 북토크>
<교보문고>
<네이버 블로그 카루의 프리랜서 라이프>
<부크크(bookk)출판사>
《감정 경제학》조원경, 페이지2북스, 2023
《300만원 동기부여 강의》최보규, 부크크, 2023

현재 은퇴 49세! 나이제한 없이 할 수 있는 JOB 1
(100년 지속 할 수 있는 JOB)

발 행 | 2024년 06월 28일
저 자 | 최보규, 서윤희
편 집 | 최보규, 서윤희
디자인 | 최보규, 서윤희
마케팅 | 최보규
펴낸이 | 한건희
펴낸곳 | 주식회사 부크크
출판사등록 | 2014.07.15.(제2014-16호)
주 소 | 서울특별시 금천구 가산디지털1로 119 SK트윈타워 A동 305호
전 화 | 1670-8316
이메일 | info@bookk.co.kr

ISBN | 979-11-410-9044-9

www.bookk.co.kr